TRY! トライ!

日本語能力試験 N2
Japanese Language Proficiency Test

文法から伸ばす日本語

ABK ♦ 公益財団法人 アジア学生文化協会 ♦

【音声ダウンロード版】

Revised Edition

ask

はじめに Introduction

この本は、日本語能力試験のN2に対応した文法の問題集で、ABK（公益財団法人 アジア学生文化協会）の30年の日本語教育の経験を生かして、学内で使いながら作られたものです。日本語を勉強している皆さんが、文法をきちんと整理して、日本語が上手に使えるようになることを願って作りました。

文法は「聞く・話す・読む・書く」の基礎になるものです。この本では次のプロセスで勉強が進められるように工夫しました。

1．実際にその文法がどのように使われているかを知る。
2．基本的な練習で使い慣れる。
3．まとめの問題で話を聞いたり日本語の文章を読んだりする運用練習をする。

まとめの問題は日本語能力試験の出題形式に合わせてありますので、試験を受ける皆さんは、この本1冊で文法対策と読解、聴解の試験の練習ができるようになっています。

「TRY!」という名前には、気軽にやってみようという意味と、ラグビーのトライのようにがんばったことが得点につながるという意味を込めました。皆さんがこの本で勉強して、日本語能力試験N2に合格し、さらに日本語を使って楽しく自己表現ができるようになりますよう、お祈りしています。

このシリーズはN5～N1まで、各レベルに合わせて5冊の本があります。この本が終わったら、ぜひN1レベルに進んで、レベルアップを目指してください。

This book, a collection of grammar questions for level N2 of the Japanese-Language Proficiency Test, is the product of 30 years of experience at the Japanese Language Institute of the Asian Students Cultural Association (ABK). The material in this book was developed from the courses at the Institute. We produced this book in the hope that all of you studying Japanese will obtain a clear understanding of its grammar and become skilled at using the language.

Grammar is the foundation of listening, speaking, reading and writing. We have designed this book so that you can proceed with your studies by going through the following process:

1. Know how this grammar is actually used;
2. Become accustomed to using it by practicing the fundamentals;
3. Practice applying the grammar in review questions that involve listening to and reading Japanese.

The review questions follow the same format as those that appear in the Japanese-Language Proficiency Test. This means that takers of the test can study grammar strategies and practice reading comprehension and listening test questions all in this one book.

We gave this book the title "TRY!" to encourage you to give Japanese a try, as well as to say that trying your best can bring rewards, like a "try" in rugby.We hope that you will use this book to study for and pass level N2 of the Japanese-Language Proficiency Test and that you will be able to further enjoy using the Japanese language to express yourself.

There are five books in this series, one for each level (N5 – N1). After completing this book, we hope you proceed to the level N1 to further improve your Japanese language skills.

2014年4月　著者一同
The Authors
April 2014

この本をお使いになる皆さんへ

To Learners Using this Book

この本は、本冊、別冊「答え・スクリプト」・ダウンロード版の音声と語彙リストがあります。

This book comprises the main text, the "Answers & Scripts" supplement, audio files and vocabulary list.

1. 本冊　Main Text

全部で14章に分かれており、それぞれ次のような構成になっています。

This book is divided into 14 chapters, each arranged in the following structure.

各章の構成　Chapter Structure

1）できること　Can Do

その章を学習すると、何ができるようになるかが書いてあります。

This states what you will be able to do by studying the chapter.

2）見本文　Sample Text

その章で勉強する文法項目が、実際にどのように使われているかわかるような文章になっています。１つの章が(1)(2)に分かれている場合、(1)(2)の見本文はストーリーがつながっています。勉強する文法項目は、すぐわかるように太字で書いてあります。

Each chapter is written so that you will understand how the grammar points it covers are actually used in real life. When one chapter consists of two parts — (1) and (2), the sample sentences in each part together form a continuous story. Grammar points to study are written in bold so you can find them easily.

3）文法項目　Grammar Points

その章で勉強する項目を順番に並べてあります。探すときに便利なように、１章から14章まで通し番号になっています。それぞれの中には、使い方、接続、例文、補足説明、練習問題などがあります（くわしい内容は☞p.6）。

This is a list of grammar points you will study in the chapter, presented in order. The grammar points appear in chapters 1 through 14, and each one is numbered serially to facilitate future reference. Within each grammar point, you will find information on how to use and combine it with other parts of speech, sample sentences, supplementary explanations, practice questions and more. (For more information: ☞p.6)

4）Check

各章の(1)の最後と(2)の最後に、簡単な練習問題があります。ここで、学習した文法項目がわかるかどうかチェックします。間違えたら、その項目のところに戻ってもう一度確認しましょう。

The ends of parts (1) and (2) of a chapter contain simple practice questions. Use these to check your understanding of the grammar points you learned about. If you make a mistake, go back to that point and check it again.

5）まとめの問題　Review Questions

その章で勉強した文法を中心にした、文法、読解、聴解の問題です。日本語能力試験の出題形式に合わせた形になっていますから、文法項目の再確認をしながら、試験対策ができます。

These questions test you on grammar, reading comprehension and listening related to the grammar you studied in the chapter. They follow the same format as the questions that appear in the Japanese-Language Proficiency Test, so you can prep for the test as you review the grammar points.

2. 別冊　Supplement

1）「やってみよう！」「Check」の答え

Answers for the "Try It Out!" and "Check" sections

2）「まとめの問題」の答え・スクリプト

Answers and scripts for "Review Questions"

3. 音声　Audio Files

「見本文」と、「まとめの問題」の聴解問題の音声

Listening exercise audio for "Sample Sentences" and "Review Questions".

音声はPC、スマートフォンからダウンロードできます。

Audio files for this book are available for download on your PC and smartphone.

くわしくは下記HPへ。

Please see the site below for details.

https://www.ask-books.com/jp/jlpt-try/try-audio/

右のQRコードからもアクセスできます。

4. 語彙リスト　Vocabulary List

本冊で使われている言葉の「語彙リスト」があります。語彙リストには、英語の訳がついています。下記のサイトよりダウンロードして使ってください。

You can find the "Vocabulary List" for the words used in the main text. The Vocabulary List has English translations. Feel free to download it.

https://www.ask-books.com/jp/jlpt-try/try-wordlist/

また、Amazon POD（Print on Demand）でも販売しています。

It is also available on Amazon POD (Print on Demand).

〈文法項目の中にあるもの〉 Inside the Grammar Points

★★★

文法項目の右端に、★のマークがあります。★が多いほど、重要な項目という意味です。★は理解できればいい項目なので、基本的に練習問題はありません。まとめの問題にも入っていないものがあります。

You will see stars (★) to the right of a grammar point. The more stars you see, the more important that point is. Simply understanding a starred grammar point is enough; they generally do not come up in practice questions. Some do not appear in Review Questions, either.

使う場面のマーク When-to-Use Marks

友達や家族など、身近な人とおしゃべりをするときに使われる表現です。
This expression is used when talking to friends, family members or other familiar people.

友達や家族とおしゃべりをするときには使われない、硬い表現です。
This expression is formal and not used when talking to friends or family members.

目上の人や初対面の人に対して話すとき、または店員が客に向かって話すときの表現です。
This expression is used when talking to a higher ranking person or a person one has met for the first time, as well as by a store clerk when talking to a customer.

後悔や残念な気持ちを表したり、相手を批判したりするときに使われる表現です。
This expresses regret or disappointment, and is used when criticizing another person.

対象を高く評価したり、一般的に評価が高いことを認めたりするときに使われる表現です。
This expression is used when you highly praise the topic of the conversation or when you acknowledge that something is generally held in high regard.

どう使う？

1．使い方の説明 Usage Explanation

どんなことを言いたいときに使うか、どんな気持ちで使うかが書いてあります。英語の翻訳もついています。

This will tell you when you can use the grammar point depending on what you want to say, as well as what nuance it carries. There is also an accompanying English translation.

2．接続の説明 Explanation on Combining with Other Parts of Speech

どんな品詞のどんな形のものと一緒に使われるか、記号を使って示しました。

例：N ＋ で

接続については使用頻度を考慮して、あまり使われていない形は載せていません。特別な言葉や表現の表もあります。

＊は、接続で気をつけることです。

This section uses symbols to show you how you can use other parts of speech with the grammar point and in what form. Example: N ＋ で

We have also taken into consideration the frequency with which combinations are used and have not printed those forms that are not used much.

There are also charts of special words and expressions.

＊ indicates a point to remember when combining with other parts of speech.

3．例文　Sample Sentences

①②のように番号がついています。例文は日常生活でよく使われるものを選びました。理解の助けになるように一部イラストをつけました。また、のマークは、慣用的に使われる表現を表します。

Sentences are numbered ①, ②, and so on. We have selected sentences for the samples that are often used in everyday life. Some are accompanied by illustrations to help you understand. The mark means the sentence contains an idiomatic expression.

やってみよう！

その文法項目を確認するための練習問題です。「どう使う？」と例文で勉強したことができるかどうか、実際に問題に答える形でチェックしてみてください。

This section contains practice questions to reinforce the grammar point. Check your understanding of what you learned in the "How to Use" section and the Sample Sentences by answering these questions.

ほかの言葉との使い方の違いや・追加で説明が必要なことなどが書いてあります。練習が必要なものは「やってみよう！」がついています。

This section contains information such as differences in the use of other words / expressions or matters requiring further explanation. Points that require further practice also come with a "Try It Out!" section.

違う言葉で、同じような意味で使われるものが書いてあります。練習が必要なものは「やってみよう！」がついています。

This section contains ways to express similar meanings but with different words. Points that require further practice also come with a "Try It Out!" section.

☞

その文法項目と似た項目があるときは、参照ページが書いてあります。

This symbol will direct you to pages with similar grammar points.

〈品詞と活用形のマーク〉 Parts of Speech and Conjugation Marks

1）品詞 Part of Speech

名詞	Nouns	N	えんぴつ、日本語、病気
い形容詞	い adjectives	いA	大きい、小さい、おいしい
な形容詞	な adjectives	なA	元気、便利、静か
動詞	Verbs	V	行く、食べる、勉強する

2）動詞の活用形 Verb conjugation

ます形	ます form	V-ます	行きます
辞書形	Dictionary form	V-る	行く
て形	て form	V-て	行って
た形	た form	V-た	行った
ない形	ない form	V-ない	行かない
動詞の普通形	Plain form of verbs	V-Pl	行く・行かない・行った・行かなかった
可能形	Potential form	V-できる	行ける
受身形	Passive form	V-られる	行かれる
使役形	Causative form	V-させる	行かせる
意向形	Volitional form	V-よう	行こう
条件形	Conditional form	V-ば	行けば

3）普通形・ていねい形 Plain form & Polite form

普通形 Plain form Pl

動詞 Verb	行く 行かない 行った 行かなかった	い形容詞 い adjective	大きい 大きくない 大きかった 大きくなかった
な形容詞 な adjective	元気だ 元気じゃない／元気ではない 元気だった 元気じゃなかった ／元気ではなかった	名詞 Noun	病気だ 病気じゃない／病気ではない 病気だった 病気じゃなかった ／病気ではなかった

ていねい形 Polite form **Po**

動詞 Verb	行きます 行きません 行きました 行きませんでした	い形容詞 いadjective	大きいです 大きくないです ／大きくありません 大きかったです 大きくなかったです ／大きくありませんでした
な形容詞 なadjective	元気です 元気じゃないです* ／元気じゃありません* 元気でした 元気じゃなかったです* ／元気じゃありませんでした*	名詞 Noun	病気です 病気じゃないです* ／病気じゃありません* 病気でした 病気じゃなかったです* ／病気じゃありませんでした*

〈接続（せつぞく）の示（しめ）し方〉Presentation of Parts of Speech Combinations

それぞれの文法項目は、次のように表します。
Each grammar point is presented in the following manner:

例）

V-て ＋ ください	食べてください
V-~~ます~~ ＋ たい	会いたい
V-~~ない~~ ＋ ないでください	行かないでください
いA ~~い~~く	大きく
なA な	しずかな
なA ~~な~~に	しずかに
Pl ＋ んです [なA ~~だ~~な N ~~だ~~な]	行くんです　行かないんです 行ったんです　行かなかったんです 大きいんです　大きくないんです 大きかったんです　大きくなかったんです 元気なんです　元気じゃないんです* 元気だったんです　元気じゃなかったんです* 病気なんです　病気じゃないんです* 病気だったんです　病気じゃなかったんです*
Pl ＋ ら [過去形（かこけい）だけ]	行ったら　行かなかったら 大きかったら　大きくなかったら 元気だったら　元気じゃなかったら* 病気だったら　病気じゃなかったら*

*な形容詞・名詞の「じゃ」は、論文（ろんぶん）などを書くときは「では」が使われる。

この本をお使いになる先生方へ

この本をお使いくださり、ありがとうございます。本書の目指すところは、日常生活の様々な場面で、具体的に日本語がどのように使われているかを目で見て、感じて、それを踏まえて文法を学ぶことです。それによって、会話やスピーチ、読解の中で使われている文法項目に自然になじみ、日本語能力試験への対応も、スムーズに進むと思います。さらに発話や作文などの自己表現にも応用できるようになると信じています。

近年、インターネットの普及に伴って、海外の学習者も生の日本語に直に触れる機会が増え、自然な日本語の習得に一役買っていることは確かです。運用を重視するという日本語教育の流れの中で、文法の位置づけも変わってきているように思います。

しかし、基礎の枠組みとしての文法をきちんと把握することは、日本語の運用にとって非常に重要です。また、相手との位置関係、使用場面にふさわしい日本語を意識することもとても大切だと考えます。

以上の点から、本書の見本文では下の表のような多様なタイプの設定をしました。その中でも語彙については生活上汎用性のあるもの、使用頻度の高いものを使うようにしています。

章	タイトル	見本文のタイプ
1	スタッフ募集のお知らせ	お知らせを読む
2	転任のあいさつ	スピーチをする
3	ホテルの仕事	説明を聞く
4	台風情報	ニュースを聞く
5	就職活動	友達同士の会話
6	苦労した５年間	友達同士の会話
7	オオカミと生態系	論説文を読む
8	取引先で	ビジネス場面の会話
9	食べ放題	友達同士の会話
10	満員電車	エッセーを読む
11	ラーメンの紹介	記事を読む
12	ウォーキングシューズの開発	ビジネス場面の会話
13	人生の転機	ストーリーを読む
14	オリンピック	社説を読む

本校での実践の中でも見本文の効果は大きく、ことさら説明をしなくても、イメージで感じ取ってもらえると言われています。本書を使ってご指導される先生方にも、ぜひ学習者の方とともに見本文のストーリーを感じていただきたく存じます。

本書につきまして、何かご意見などございましたら、どうぞお寄せくださいますよう、お願い申し上げます。

もくじ CONTENTS

3 説明を聞く Listening to an Explanation ホテルの仕事 A Hotel Job 50

4 ニュースを聞く Listening to the News 台風情報 Typhoon Information 62

5 友達同士の会話 A Conversation with a Friend 就職活動（1）Job Hunting (1) 72

5 友達同士の会話 A Conversation with a Friend 就職活動（2）Job Hunting (2) 78

1 お知らせを読む Reading an Announcement

スタッフ募集のお知らせ A Job Ad

できること

- お知らせなどの文章が読める。
  Read announcements and the like.
- 求人の条件が理解できる。
  Understand the conditions for a job opening.

02

サニー 店内スタッフ募集

さいわい駅前店オープン**につき**、人材を求めています

仕事▶開店業務、販売、清掃、商品管理、閉店業務

資格▶年齢・経験・国籍**を問わず**、やる気のある方、大歓迎！

＊商品の案内や接客応対があるため、外国人の方は、日本語能力試験N2レベル以上の方**に限り**、応募可。

給与▶時給

7時～ 9時	1,000円～
9時～22時	900円
22時～24時30分	1,125円～

＊経験年数**に応じ**、時給は考慮します。

交通費▶往復1,000円まで支給

応募▶当店所定のフォームに記入し、下記のメールアドレスまでお送りください。電話でのお問い合わせは10時～18時。

書類審査の結果は採否**にかかわらず**、通知します。

書類審査後、当店**において**面接。

面接の**際**に、履歴書（写真付き）持参の**こと**。

サニーグループ東京本部 ☎03-1111-2222
http://www.sannie.biz
E-mail boshu@sannie.co.jp

1 オープンにつき ★★

どう使う？

お知らせなどで「雨天につき中止」のように理由を言うときに使われる。
This is used to state a reason in an announcement and the like, as in "雨天につき中止".

N ＋ につき

①清掃中につき、お足元にご注意ください。

②会場内は禁煙につき、おたばこはご遠慮ください。

③4月15日（木）：佐藤医師、学会出席につき休診。

④ただ今、改装工事中につき、左記の仮店舗で営業いたしております。

④

やってみよう！

▶答え 別冊P. 1

1）10月20日は社員研修につき、 ・　　・a）階段をご利用ください。

2）キャンペーン期間中につき、 ・　　・b）お早めにお召し上がりください。

3）生ものにつき、 ・　　・c）入会金無料。

4）エレベーター点検中につき、 ・　　・d）臨時休業させていただきます。

☞ p.224 ～につき

2 国籍を問わず ★★★

どう使う？

お知らせや紹介文などで、「いつでも・どこでも・だれでも」などと説明したいときに使われる。
This is used in an announcement, written introduction and the like to say "anytime, anywhere, anyone" and such.

N ＋ を問わず

＊「昼夜・国の内外・男女・～の有無」などの言葉と一緒に使われる。

①このスポーツセンターは、年齢を問わず、どなたでも利用できます。

②このスーパーは昼夜を問わず、営業しているので、深夜も働く人にとってありがたい。

③経験の有無を問わず、やる気のある社員を募集します。

④私の国では、老若男女を問わず、みんな、サッカーが好きだ。

やってみよう！

▶答え　別冊P. 1

1）来週の国際交流会は、国籍、職業（a. ばかりでなく　b. に対して　c. を問わず）どなたでも参加できます。

2）通信販売センターでは昼間（a. はもちろん　b. によって　c. を問わず）夜も10時まで受け付けています。

3）季節（a. について　b. というと　c. を問わず）この山に登る人は多い。

4）日本のアニメは（a. 国の内外　b. 海外　c. 外国）を問わず、人気がある。

「問う」という動詞の否定形として、文の最後で使うこともある。
You can also use the negative form of the verb "問う" at the end of a sentence.
この仕事に関心のある方なら、学歴・経験は問いません。

3　N2レベル以上の方に限り

どう使う？

「だけ」という意味で、お知らせなどによく使われる。
This is often used to mean "only / just" in an announcement and the like.

N ＋ ［ に限り / に限る

①本日に限り、通常価格100グラム1,500円の牛肉を半額でご提供いたしております。

②このコーナーのバッグに限り、全品3,000円。

③当動物園は夏休み期間に限り、夜９時まで開園しております。

④初めてのお客様に限り、無料お試しセットをお申し込みいただけます。

⑤工場の見学は予約された方に限ります。

やってみよう！

▶答え　別冊P. 1

1）小学生以下のお子様（a．に限り　b．にとって）ジュースをプレゼント。

2）子ども（a．に限り　b．にとって）周囲の人の愛情は何よりも大切です。

3）お一人様1回（a．に限り　b．につき）レッスンを無料で体験できます。

4）お申し込みの時期（a．に限り　b．によって）、お届け日が変わりますのでご注意ください。

5）今月末までにお申し込みの方（a．に限り　b．によって）、スポーツバッグをプレゼントいたします。

「N ＋ に限って〜ない」の形で、予想していなかった悪いことが起きたときや、うわさなどに対して信じられないと強く否定したいときに使う。

Use the " N + に限って〜ない " form when you want to make a strong denial and say that you cannot believe a rumor, some bad occurrence that you did not expect, and so on.

①うちの子に限って、万引きなんてするはずがありません。

②彼に限って浮気なんてするはずがない。

③彼に限って、そんな単純なミスをするわけがない。

④にせものを売るなんて、あの店に限って、そんなことは絶対にない。

☞ p.223　〜に限る／限り

4　経験年数に応じ　★★★

どう使う？

「〜に応じ…」は、「希望・変化・地域・状況・年齢・能力・経験などの条件に合わせて…する」と言いたいときに使う。

Use " 〜に応じ… " when you want to say that something "depends on conditions such as a desire, change, location, situation, age, ability or experience."

N ＋
- に応じ
- に応じて
- に応じた ＋ N

①給料は能力や経験に応じ、決めさせていただきます。

②新年会はご予算に応じていろいろなコースがございます。

③社会人なら、場所や場合に応じた服装を心がけるべきだ。

④会社は社員の要望に応じて社員食堂のメニューを増やした。

③

やってみよう！

▶答え 別冊P. 1

1）生物は環境（a. に応じて　b. に限って　c. について）その体を変化させてきた。

2）この会社では、給料のほかに仕事の内容（a. にとって　b. に応じて　c. 向きに）手当てが支払われます。

3）習慣は国（a. によって　b. に応じて　c. に対して）違う。

4）利用額（a. に応じて　b. に限って　c. 向きに）、ポイントがつき、次回のお買い物にご利用いただけます。

5　採否にかかわらず

どう使う？

「～にかかわらず…」は、「天候・好み・地位や、あるなし・するしないなどの条件に関係なく…」と言いたいときに使われる。

" ～にかかわらず…" is used when you want to say "regardless of conditions such as weather, preference, social position, or whether something is there or not there, done or not done, etc."

＊「好き嫌い」「いい悪い」「善悪」など、形容詞、名詞の対立する２語を合わせて使われることもある。
This is also used in combination with pairs or opposite adjectives or nouns such as "好き嫌い", "いい悪い" and "善悪".

①区民センターの利用料金が変更になりました。和室は、人数にかかわらず、２時間1,000円になります。

②セール品のため、理由のいかんにかかわらず、返品はお受けできません。

③会議で発言するしないにかかわらず、自分の意見はまとめておくべきです。

④今回の旅行は晴雨にかかわらず、実施します。

やってみよう！

▶答え　別冊P. 1

1）内容がわかるわからないにかかわらず、・　　・a）1つ100円でお預かりします。

2）お荷物の大小にかかわらず、・　　・b）寄付をしていただけるとありがたいです。

3）金額の多少にかかわらず、・　　・c）1年に1回は点検をすることをおすすめします。

4）故障の有無にかかわらず、・　　・d）毎日聞き続ければ、3か月後には必ず効果が表れます。

1）

6　当店において　★★★

どう使う？

「～において」は、「京都において・江戸時代においては・生物学における」のように、「場所・時代・分野などで」と言いたいときに使う。お知らせやニュースなどで使われることが多い。

Use " ～において " when you want to say a "place, time, field / subject area and so on" as in "京都において・江戸時代においては・生物学における". This is often used in announcements, news and the like.

N ＋ ［ において ／ における ＋ N ］

①入学式は、3階のホールにおいて行われます。

②日本だけでなく、ほかの国においても、環境汚染は深刻な問題だ。

③彼のようなすばらしい人に出会えたのは人生における最大の幸運だった。

④今回の風力発電施設の建設は自然エネルギー開発において大きな意味があると言われている。

④

やってみよう！

▶答え　別冊P. 1

1）わが社（a．においても　b．における）留学研修制度が導入された。

2）私の人生を変えたのは留学生活（a．において　b．における）経験だ。

3）失業問題は今、世界中で深刻になっているが、日本（a．においては　b．においても）、重要な課題だ。

4）教室（a．で　b．において）友達と昼ご飯を食べた。

7　面接の際に

どう使う？

「～際」は、「～場合」という意味で、説明書や案内などで使われる。後ろに「してください・必要です・お願いします」などの文が来ることが多い。

" ～際 " is used in manuals, guides and the like to mean "if / when ～ ". Phrases such as " してください・必要です・お願いします " often come afterward.

V-る／V-た
N の
＋ 際（に）

①カードを紛失した際はサービスセンターにご連絡ください。

②入学手続きの際に必要なものは下記の通り。

③目上の人と話す際には、言葉だけでなく態度にも気をつけてください。

やってみよう！

▶答え　別冊P. 1

1）このファイルを開ける際は、　・　　・a）スポーツ大会は屋内で行います。

2）離着陸の際には、　・　　・b）パスワードを入力してください。

3）地震や火災などが発生した際には、　・　　・c）身分証明書が必要です。

4）携帯電話のご契約の際は、　・　　・d）シートベルトの着用をお願いします。

5）雨天の際、　・　　・e）この非常ボタンを押してください。

Plus

～に際して

「N ＋ に際して」の形もあり、注意やおわび、説明などの文に使われる。

Another form is "N ＋ に際して". It is used in sentences such as warnings, apologies, explanations and the like.

①各種書類の提出に際しては、期限を厳守してください。

②振り込みに際して、手数料はお客様のご負担となります。

③商品発送に際して、一部商品の発送が遅れましたことを深くおわびいたします。

8 履歴書持参のこと

どう使う？

規則や注意事項を説明するときに使う。

This is often used to explain a rule or warning.

V-る ／ V-ない ＋ こと
N の ＋ こと

①願書は1月28日必着のこと。窓口での受け付けは行っておりません。

②寮の台所はきれいに使用すること。

③試験中は携帯電話の電源を切ること。筆記用具以外は机の上に置かないこと。

④寮のシャワーは夜11時以降、使用しないこと。

やってみよう！

▶答え 別冊P. 1

1）履歴書の記入は、 ・　　・a）プールサイドでは走らないこと。

2）危険なので、 ・　　・b）きちんと分別すること。

3）外出するときは、 ・　　・c）黒のボールペンを使用のこと。

4）ごみを出すときは、 ・　　・d）必ずエアコンを消すこと。

4）

☞ p.221 ～こと

▶答え 別冊P. 1

1）わが社では経験 ＿＿＿＿＿＿、広く人材を募集している。

2）カレーの辛さはお客様のご希望 ＿＿＿＿＿＿ 調整いたします。

3）進学説明会は６月３日に東ホテル ＿＿＿＿＿＿ 行われます。

4）毎週日曜日は先着10名様 ＿＿＿＿＿＿、無料で忍者体験ができます。

に限り　　を問わず　　において　　に応じて

5）お降りの ＿＿＿＿＿＿ はバスが止まってから席をお立ちください。

6）入学後、引っ越しした場合は学生課に住所変更届を提出する

＿＿＿＿＿＿。

7）今回のコンサートは応募者多数 ＿＿＿＿＿＿ 抽選とさせていただきます。

8）ご出席、ご欠席 ＿＿＿＿＿＿、このはがきは必ずご返送ください。

際　　こと　　にかかわらず　　につき

まとめの問題 Review questions

▶答え 別冊P.10

問題1 〈文法形式の判断〉

次の文の（　　）に入れるのに最もよいものを1・2・3・4から一つ選びなさい。

1　この体操は体力（　　）、無理のないように行ってください。

1 に限って　**2** に応じて　**3** にかわり　**4** において

2　水泳は子どもからお年寄りまで世代（　　）楽しめるスポーツだと言われている。

1 ばかりでなく　**2** に限って　**3** を問わず　**4** とおりに

3　ただ今、こちらの商品（　　）、全国どこでも210円で配送を承ります。

1 を問わず　**2** の際は　**3** に限り　**4** に応じて

4　退職の（　　）に必要な手続きについて、ご説明します。

1 たび　**2** 最中　**3** ところ　**4** 際

5　奨学金を希望する場合はこの欄に丸印を付ける（　　）。

1 べき　**2** つもり　**3** こと　**4** はず

6　店を経営するなら、家賃や人件費など、売り上げの多い少ない（　　）毎月費用がかかることを考えなければならない。

1 に応じて　**2** に限り　**3** にかかわらず　**4** につき

問題2 〈文の組み立て〉

次の文の ★ に入る最もよいものを1・2・3・4から一つ選びなさい。

1　今回のサミット ＿＿＿ ＿＿＿ ★ ＿＿＿ と首相は語った。

1 における　**2** である

3 エネルギー問題　**4** 最重要課題は

2 ＿＿ ＿＿ ★ ＿＿ 確認（かくにん）しておきましょう。

1 際（さい）に　2 地震（じしん）の　3 避難（ひなん）できる　4 場所を

3 すばらしい芸術（げいじゅつ）は、いつ ＿＿ ＿＿ ★ ＿＿、人々（ひとびと）を感動（かんどう）させる。

1 も　2 において　3 時代（じだい）　4 の

4 当店（とうてん）では、メーカー ＿＿ ＿＿ ★ ＿＿ いたします。

1 どんな　2 下取（したど）り　3 パソコンでも　4 を問（と）わず

問題3 〈文章（ぶんしょう）の文法（ぶんぽう）〉

次の文章を読んで、文章全体の内容を考えて、[1] から [5] の中に入る最もよいものを、1・2・3・4から一つ選びなさい。

日本で映画を見るのに、通常（つうじょう）1,800円ぐらいかかりますが、映画館では、通常（つうじょう）料金のほかに、特別なサービスがあります。

毎月1日の「映画の日」は、年齢（ねんれい）・性別（せいべつ） [1] 誰（だれ）でも1,000円です。水曜日は女性 [2]、1,000円になる映画館もあります。

[3] 夫婦（ふうふ）のどちらかが50歳以上の場合は、いつでも2人で2,000円です。[4]、チケットを買う [5] は、身分証明書（みぶんしょうめいしょ）の提示（ていじ）が必要（ひつよう）です。

そのほか、館内では、毛布（もうふ）やクッションを貸し出すサービスもあります。

1　1 によって　2 に限（かぎ）り　3 を問（と）わず　4 に応（おう）じ

2　1 にかわって　2 において　3 に限（かぎ）り　4 を問（と）わず

3　1 ところが　2 また　3 しかし　4 だから

4　1 ただし　2 それに　3 すると　4 そこで

5　1 に応（おう）じて　2 際（さい）　3 うち　4 に限（かぎ）って

問題４〈聴解〉

この問題では、まず話を聞いてください。それから二つの質問を聞いて、それぞれ問題用紙の１から４の中から、最もよいものを一つ選んでください。

03

1

1 留学生による英語の教室

2 留学生による料理教室

3 留学生との交流会

4 留学生にお茶を教える会

2

1 男の人だけ申し込む

2 女の人だけ申し込む

3 ２人とも申し込む

4 ２人とも申し込まない

2 スピーチをする Giving a Speech

転任のあいさつ（1）

Addressing Co-workers after Receiving a Transfer Order (1)

できること

● 改まった形で思い出話などをして、お別れのスピーチができる。
Give a farewell speech with memorable stories and the like in a formal setting.

04

皆様、本日は、私のためにこのような会を開いていただき、ありがとうございます。入社して**以来**、この営業部において、部長**をはじめ**先輩方のご指導**のもと**で、営業について一から学ぶことができ、たいへん幸運でした。仕事の進め方**はもとより**、取引先との付き合い方など本当に様々なことを教えていただき、心から感謝いたしております。特に部長の、「人は失敗から学ぶ**ものだ**」という言葉は忘れられません。仕事をする**上で**大切なことを、まだまだたくさん学びたかったのですが、このたび大阪支社勤務を命じられ、残念**ながら**この職場を離れることになりました。

9 入社して以来 ★★★

どう使う？

「〜以来」は、「〜」のときから今までずっと同じ状態が続いているときに使う。
Use " 〜以来 " when a condition has continued from " 〜 " until now.

V-て
N] ＋ 以来

①母が入院して以来、家事はすべて私がしています。

②３年前の夏休みに帰国して以来、長い間家族に会っていません。

③こちらに引っ越して以来、散歩を日課にしているんです。

④山野君とは卒業以来、まったく連絡が取れない。

⑤彼は2000年４月以来、１日も休まず遺伝子の研究を続けている。

やってみよう！

▶答え 別冊P. 1

1）1990年に来日して以来、（　　　）。

a．ずっと京都に住んでいます

b．2000年に帰国しました

2）彼は３年前にプロの選手になって以来、（　　　）。

a．１億円の契約金をもらった

b．今まで以上に食事に気を遣うようになった

3）この村に工場ができて以来、（　　　）。

a．事故が起きた

b．人口が増え続けている

4）子どものとき川に落ちて以来、（　　　）。

a．水が怖くて今も泳げない

b．大けがをした

10 部長をはじめ ★★★

どう使う？

「～をはじめ」は、代表的な例を出して、「～だけでなくほかにもたくさん」と言いたいときに使う。

Use "～をはじめ" when you want to say "not just ～, but many others" by giving a typical examples.

N ＋ ┌ をはじめ
　　 │ をはじめとして
　　 └ をはじめとする ＋ N

①日本には富士山をはじめ、たくさんの美しい山がある。

②アジアには中国をはじめとして、約40の国々がある。

③首相をはじめ、多くの政治家が大統領の歓迎会に出席した。

④健康のためには食生活をはじめとする生活習慣の見直しが必要です。

やってみよう！

▶答え　別冊P. 1

1）この映画専門学校は、校長をはじめ、　・

2）このスパイスはタイをはじめ、　・

3）一人暮らしには電子レンジをはじめ、　・

4）ジャケットをはじめ、　・

・a）この春の新作が入荷いたしましたので、ぜひご来店ください。

・b）様々な電気製品が必要だ。

・c）多くの著名人が講師をしている。

・d）東南アジアなどで広く使われている。

3）

11　先輩方のご指導のもとで　★★

どう使う？

「教授のもと」のように、「何か大きい影響力のあるものの下で」というときや「協力のもと」のように、「その条件や状況の中で」と言いたいときに使う。

Use this expression when you want to say that something is "under someone with some great influence" as in "教授のもと", or when you want to say that something is "under certain conditions or a situation" as in "協力のもと".

N ＋ のもと（で／に）

①最近は明るい太陽のもとで、元気に遊ぶ子どもが少なくなった。

②彼はすばらしい自然環境のもとでこの作品を作り上げた。

③子育ては夫婦の協力のもとに行われるべきだ。

④合理化の名のもとに多数の従業員が解雇された。

やってみよう！

▶答え　別冊P. 1

1）彼は両親と離れ、＿＿＿＿＿＿のもとで、育てられた。

2）みきは16歳だが、＿＿＿＿＿＿のもとに結婚が認められた。

3）私はこの会社で、尊敬する＿＿＿＿＿＿のもとで40年間働いてきた。

4）海岸の清掃活動は多くの市民の ＿＿＿＿＿＿ のもとに行われている。

両親の同意	祖父母	協力	社長

12 仕事の進め方はもとより ★★

どう使う？

「〜はもとより」は、スピーチ・プレゼンテーションなどで「〜はもちろん、〜だけでなくそのほかにも」と説明したいときに使う。

Use " 〜はもとより " when you want to explain in a speech, presentation or the like that " 〜 " is obvious, or that it is not only " 〜 " but also something more.

N ＋ はもとより

①この温泉は、日本人はもとより、外国人にもたいへん人気があります。

②子どもの成長のためには、食事はもとより、睡眠や運動にも気をつけてください。

③優秀な人材の確保は中小企業はもとより、大企業にとっても大きな問題です。

④犯罪防止はもとより、地域の交通安全も警察の大切な仕事です。

やってみよう！

▶答え 別冊P. 1

1）すしは日本（a．はもとより　b．においては）いろいろな国で人気がある食べ物です。

2）事前に予約した場合（a．はもとより　b．に限り）無料で参加できます。

3）スペイン語はスペイン（a．はもとより　b．にもかかわらず）南米の国々でも使われています。

4）子どもは家族（a．はもとより　b．のもとで）生活しながら、社会習慣を身につけるべきだ。

5）今後、両国間では経済（a．はもとより　b．のもとで）文化の交流も活発になるだろう。

13　人は失敗から学ぶものだ 

どう使う？

誰でもそう思う、絶対正しいと思っている話者の判断を表す。注意や命令になることもある。偉そうな感じがするので、目上の人には使わないほうがいい。親しい人との会話では、「もんだ」が使われる。

This expresses the speaker's judgment that anyone would think so or that the speaker thinks it is absolutely correct. You should not use this when speaking to a higher ranking person as it can sound bossy. "もんだ" is used in conversation with a familiar person.

V-る ／ **V-ない** ＋ ものだ ／ もんだ

①A：うちの息子は最近口答えばかりして、ちっとも言うことを聞かないんですよ。
　B：子どもは親に反抗するものですから、それも成長のひとつですよ。

②A：今まで自由に生きてきたけど、最近さびしさを感じるんだ。
　B：それはそうさ。人は一人では生きられないものだから。

③誰でもほめられればやる気になるものですから、新入社員を指導するときはぜひいいところを探してください。

④失恋したら、めいっぱいおしゃれをして出かけましょう。おしゃれをすると気分が明るくなるものです。

⑤さっきのお前の態度は何だ。人が話しているときには、ちゃんと聞くもんだぞ。

☞ p.224　～もの／もん

14　仕事をする上で 

どう使う？

「～上で…」は、「～をするとき（…が重要だ・必要だ）」と言いたいときに使われる。

"～上で…" is used when you want to say that "(something is important or required) when doing something".

V-る ＋ 上で

①この本は就職活動をする上での重要なポイントが書かれています。

②国際関係を考える上で、宗教問題は避けられない。

③新店舗を開設する上で、周辺のマーケティング調査は欠かせない。

④会社を経営していく上でコストパフォーマンスは重要な課題だ。

やってみよう！

▶答え 別冊P. 2

1）留学生が生活する上で（　　　）。

a．円高は大きな問題だ

b．高いものは買わない

2）この講座はボランティア活動をする上で（　　　）。

a．難しいです

b．必要な知識を学びます

3）進学先を選ぶ上で（　　　）。

a．就職率は重要なポイントだ

b．この大学は簡単に入れました

4）日本の農業を理解する上で（　　　）。

a．農村に見学に行くつもりだ

b．気候や地形に対する理解も必要だ

☞ p.220 ～上／上

15 残念ながら ★★

どう使う？

「～ながら」は、「～の状態だが、けれども」と言いたいときに使う。
Use " ～ながら " when you want to say "this is the situation, but..."

V-~~ます~~ ／ V-ない
いA
なA
N
＋ ながら（も）

＊「なA／N であり ＋ ながら」の形もある。

①彼とは同じ寮に住んでいながら、ほとんど話をしたことがなかった。

②留学生たちは、難しい言葉はわからないながら、日本人のボランティアと楽しそうにおしゃべりしている。

③彼は若いながらも、立派なプロジェクトリーダーだ。

④練習試合ながら、去年の優勝チームに勝ったのは大きな自信になる。

⑤このICレコーダーは小型でありながら、連続24時間の録音が可能だ。

やってみよう！

▶答え 別冊P. 2

1）ぜひ北海道へ行きたいと思いながら、（　　　）。

　a．何度も行った

　b．まだ行ったことがない

2）山の頂上がすぐ近くに見えていながら、（　　　）。

　a．なかなか頂上につかない

　b．もうすぐ頂上につきそうだ

2）

3）この美術館は小さいながら（　　　）。

　a．多くのすばらしい作品を展示している

　b．休日でも入場者は少ない

4）この洗濯機は、旧型ながらとても（　　　）。

　a．使いにくい

　b．使いやすい

▶答え 別冊P. 2

1）当社(とうしゃ)はチョコレート ＿＿＿＿＿ お菓子(かし)の総合(そうごう)メーカーです。

2）このアニメは、子ども ＿＿＿＿＿、大人でも十分楽しめる作品になっている。

3）たまにはゆっくり映画を見たいと思い ＿＿＿＿＿、なかなか時間がとれない。

4）がんの疑(うたが)いがあるときは専門医(せんもんい) ＿＿＿＿＿ 早期(そうき)に診断(しんだん)、治療(ちりょう)されることをおすすめします。

ながら　のもとで　はもとより　をはじめとする

5）仕事をする ＿＿＿＿＿ いちばん大切なのは報告(ほうこく)・連絡(れんらく)・相談(そうだん)だと言われている。

6）ジョギングを始めて ＿＿＿＿＿ 体の調子(ちょうし)もいいし、夜もよく寝られるようになった。

7）誰(だれ)でも後輩(こうはい)の前ではいいところを見せたい ＿＿＿＿＿。

ものだ　上(うえ)で　以来(いらい)

スピーチをする　Giving a Speech

転任のあいさつ（2）

Addressing Co-workers after Receiving a Transfer Order (2)

できること

● 改まった形で今後の展望などを話し、お礼のあいさつが言える。
Talk about the future outlook and the like and state your appreciation in a formal setting.

05

　大阪支社では、アジア各国への輸出拡大**を**目的**とした**プロジェクトに参加することになりました。この転勤を**きっかけ**に、また新たな挑戦ができることを期待しております。やる**からには**全力でがんばります。

　入社以来慣れ親しんだこの職場を離れることになりましたが、皆様と一緒に仕事をする機会がなくなるという**わけではありません**。どうぞこれまでと変わる**ことなく**、ご指導よろしくお願いいたします。

　最後に、本日は雨**にもかかわらず**、このように多くの方々が来てくださったこと、皆様の温かいお心遣いに心から感謝しております。本当にありがとうございました。

16　輸出拡大を目的としたプロジェクト　★★★

どう使う？

「AをBとする」は、「地域交流を目的として」「リーダーを中心に」のように、「AをBにする、AがBだ」と言うときに使う。「として」のかわりに「に」を使うこともある。
Use " AをBとする " when you say "do A as B; A is B" as in " 地域交流を目的として " and " リーダーを中心に ". You can also use " に " in place of " として ".

N1 ＋ を ＋ N2 ＋
- とした ＋ N
- とする
- として／に

＊「目的・中心・対象・手本・前提」などの言葉と一緒に使われる。

①「みどりの会」は環境保護活動を目的とする市民の組織です。

②今回のシンポジウムは日本の伝統芸能をテーマとして行われます。

③今回の話し合いの結果を私たちの総意として社長に伝えることにしましょう。

④「子は親の鏡」という言葉があるが、子どもは親を手本として成長していくのであろう。

⑤わが社ではエンジニアを中心に、安全な車づくりの研究が行われている。

⑥結婚を前提に彼女に交際を申し込んだ。

やってみよう！

▶答え 別冊P. 2

1）企業は利益を上げることを目的（a．として　b．とする）、日々、経済活動を行っている。

2）大学教授を中心（a．として　b．とする）グループによって、ロボットの研究開発が行われている。

3）今のアルバイトは2週間の研修に毎日参加することを条件（a．とする　b．に）採用された。

4）A：みんな、キャプテンを中心（a．とした　b．に）一丸となって試合で思い切り力を出せ！

B：がんばります。監督、見ていてください。

17　この転勤をきっかけに 

どう使う？

「きっかけ」は、何かが始まったり、変わったりしたときに、その原因・理由になった出来事を表すときに使う。

Use " きっかけ " to express the factor or reason for why something happened that led to a new beginning or change.

①日本のドラマをきっかけとして、日本文化に関心を持つようになった。

②小学生の投書がきっかけで、駅前の公園をきれいにしようという活動が始まった。

③彼と友人になったのは、入学式で隣に座ったことがきっかけだった。

④私が昆虫学者を目指したきっかけは、子どものときに夢中で読んだ『ファーブル昆虫記』です。

Plus

契機

★  

同じ意味・用法で社会的、歴史的に大きいことを言う場合は「契機」という言葉を使うこともある。プラスの意味の文に使うことが多い。

You can also use the word "契機" the same way to mean the same thing about something important socially or historically. It is often used in sentences with a positive meaning.

①青木氏の社長就任を契機にして、わが社は大きく発展した。

②この大学は卒業生がノーベル賞を受賞したことを契機として受験生が増えたと言われている。

③今回の事件を契機に、地域ぐるみで子どもを犯罪から守ろうということになった。

④この港では、開港100周年を契機に今年1年さまざまな催し物が企画されている。

18　やるからには　★★

どう使う？

「～からには…」は、「～は決めたこと・事実なのだから当然…するべきだ・するつもりだ・しろ」などの強い気持ちを言いたいときに使う。

Use "～からには…" when you want to say, with strong emotion, something like "it's natural because ～ is decided / a fact; something should be done; you intend to do something; when you order someone to do something."

V-る／V-た ＋ からには

＊「～というからには」「N である ＋ からには」の形もある。

①日本での就職を希望するからには、しっかり企業研究をしておいたほうがいい。

②冬、山に登るからには、日頃からトレーニングを続ける必要がある。

③世界パティシエコンテストに出場するからには、優勝を目指してがんばります。

④入学おめでとう。この専門学校に入ったからには、しっかり技術を身につけて、いつか自分の店を持てるようになってください。

⑤三つ星レストランというからには、料理もサービスも期待できるはずだと考えるのが自然だ。

⑥キャプテンであるからにはチーム全体のことを考えるべきだ。

やってみよう！

▶答え 別冊P. 2

1）この店で働く（a．からには　b．からといって）扱う商品についてよく勉強しなければならない。

2）年齢が若い（a．からには　b．からといって）能力が低いと思ってはいけない。

3）インフルエンザはちゃんと（a．治ったからには　b．治ってからでなければ）学校へ来てはいけない。

4）写真家になると（a．決めたからには　b．決めてからでなければ）、苦しいことがあっても、認められるまでがんばれ。

5）わざわざ休みを取って旅行に来た（a．からには　b．からといって）、思いっきり楽しんで帰ろうよ。

 p.220　～から

Plus

～以上は

★★

「V ＋ 以上（は）」という言い方もある。

①市長になった以上は、皆様が安心して暮らせる街づくりをすることをお約束します。

②期日までに間に合わせると約束した以上は、残業してでも終わらせなければならない。

③皆さん、本校の学生になった以上は、わが校の伝統を守り、誇りを持って行動してください。

④プロジェクトのリーダーを引き受けた以上、全力を尽くします。

Plus

～上(うえ)は

★ 

「V ＋ 上(うえ)は」という言い方もある。

①税金(ぜいきん)を使って研究を行(おこな)う上(うえ)は、社会に役立つ研究をしなければならない。

②かくなる上(うえ)は裁判(さいばん)で争(あらそ)う以外に道はない。

☞ p.221 ～上(うえ)／上(じょう)

19 なくなるというわけではありません ★★★

どう使う？

「～わけではない」は、「～の状況(じょうきょう)や気持ち・理由ではない」と否定(ひてい)するときに使う。「病気が治ったわけではない」のように、相手の考えや一般的(いっぱんてき)な判断(はんだん)を否定(ひてい)するときに使う。「嫌いなわけではない」のように、100%そうだと言いたくないときにも使う。

Use " ～わけではない " when you make a denial as in "that's not the situation; it doesn't feel like that; not for that reason." Use it when you refute another person's idea or a typical judgment as in " 病気が治ったわけではない ". You can also use it when you do not want to say that something is 100% for sure, as in " 嫌いなわけではない ".

Pl ＋ ［ わけではない / わけじゃない

［なA だな　N だの］

①退院しても、病気が完全(かんぜん)に治ったわけではありませんから、無理(むり)をしないでください。

②通信販売(つうしんはんばい)は便利だが、実際(じっさい)に見て買うわけではないので、品物(しなもの)が届くまでちょっと心配だ。

③歌が下手なわけではないが、カラオケで歌うことはほとんどない。

④あのレストランはおいしいわけでもないのに、いつも混(こ)んでいる。

やってみよう！

▶答え 別冊P. 2

1）ゲームが好きだが、毎日している（a．わけではない　b．に違いない）。

2）こんなにいい天気だから、雨が降る（a．わけではない　b．わけがない）でしょう。

3）A：彼は優(やさ)しいから、謝(あやま)れば許(ゆる)してくれる（a．わけじゃない　b．んじゃない）？

　　B：謝(あやま)ればいつでも許してもらえる（a．わけじゃない　b．しかない）と思うよ。

☞ p.226 ～わけ

20 これまでと変わる**ことなく** ★★

どう使う？

「休むことなく働き続けている」のように、何かをしない状態で後ろの動作が続いたり、完了したりするときに使う。

Use this when something happens or is completed even though some action has not been done, as in " 休むことなく働き続けている ".

V-る ＋ ことなく

①今回は優勝することができましたが、これで満足することなく、さらに努力を続けます。これからも、応援よろしくお願いします。

②彼は一言も文句を言うことなく、重い荷物を運んでいった。

③その後、彼女は一度もふるさとの地を訪れることなく、80年の生涯を終えた。

④私たちが乗った新幹線は遅れることなく京都についた。

やってみよう！

▶答え 別冊P. 2

1）雨はほとんどやむことなく、（　　　）。

　a．５日間降り続いた

　b．川の水があふれた

2）祖母は今年75歳ですが、病気をすることなく（　　　）。

　a．大きなけがをした

　b．元気に暮らしている

3）世界中で生産される食料の約３分の１が食べられることなく、（　　　）。

　a．捨てられているということだ

　b．おなかがすいているということだ

4）中学時代に出会った親友との友情は、20年間変わることなく、（　　　）。

　a．もう終わってしまった

　b．続いている

☞ p.221 ～こと

21　雨にもかかわらず　★★★

どう使う？

「～にもかかわらず」は、「～なのに」という意味で、その状態から予想することと実際が違うという意味で使う。

" ～にもかかわらず " means "although / despite ～ ". Use it to mean that something is actually different from what one would expect from the situation.

V-て いる ┐
V-た 　　│ ＋ にもかかわらず
N 　　　┘

＊「**なA**／**N** である ＋ にもかかわらず」「**いA** ＋ にもかかわらず」の形もある。

①彼の努力にもかかわらず、業績はよくならなかった。

②多くの家庭で収入が減少しているにもかかわらず、貯金額は増加している。

③授業中にもかかわらず、学生はおしゃべりしたり、携帯電話でメールしたりしている。

④妻は真実を語らなかった。それにもかかわらず、夫は自分の死が近いことを知っていた。

⑤このスケジュール管理のソフトはフリーソフトであるにもかかわらず、優れた機能を持っている。

⑥この化粧品は値段が高いにもかかわらず、3か月で45万本も売れたそうだ。

③

やってみよう！

▶答え　別冊P. 2

1）彼は高熱（a．にもかかわらず　b．において）休まずに働き続けた。

2）このテーマパークは天候（a．にもかかわらず　b．にかかわらず）お楽しみいただけます。

3）悪天候（a．にもかかわらず　b．に限り）マラソン大会は予定通り行われた。

4）学校の規則で禁止されている（a．にもかかわらず　b．からといって）、彼はバイクで通学している。

5）彼は子どものころからサッカー（a．にもかかわらず　b．はもちろん）スポーツは何でも得意だった。

☞ p.223　～にかかわらず

Check

▶答え 別冊P. 2

1）難しい仕事でも引き受けた ＿＿＿＿＿＿＿＿、がんばってやるしかないだろう。

2）現在、強風のため、首都圏を中心 ＿＿＿＿＿＿＿＿、JR各線にダイヤの乱れが出ています。

3）最近では大学に足を運ぶ ＿＿＿＿＿＿＿＿、オンライン講座で学士の資格を得ることも可能だ。

4）忙しいと言っても、食事をする時間がない ＿＿＿＿＿＿＿＿。

5）彼女は、けがが完全に治っていない ＿＿＿＿＿＿＿＿、試合に出場すると言った。

6）今回の入院を ＿＿＿＿＿＿＿＿ に、これからは１年に１回必ず健康診断を受けようと思った。

からには	ことなく	にもかかわらず	わけではない
として	きっかけ		

まとめの問題 Review questions

▶答え 別冊P.10

問題１ 〈文法形式の判断〉

次の文の（　　）に入れるのに最も良いものを１・２・３・４から一つ選びなさい。

1　うちのチームは、何度もシュートを（　　）、得点することができなかった。

1　試みながらも　　**2**　試みて以来

3　試みたからといって　　**4**　試みることなく

2　私は今の仕事が不満な（　　）けど、もっとおもしろい仕事がしたいと思う。

1　つもりだ　　**2**　ようだ　　**3**　はずがない　　**4**　わけじゃない

3　ABKハウジングは東京（　　）、関東地方の不動産を取り扱っております。

1　くらい　　**2**　を目的に　　**3**　をはじめ　　**4**　のもとで

4　「独立すると言って会社を辞める（　　）、どんなに大変でもがんばれ」と部長に言われた。

1　ことなく　　**2**　からには　　**3**　ように　　**4**　おかげで

5　高橋さんは子どもが生まれたの（　　）、たばこをやめる決心をしたんだそうです。

1　はもとより　　**2**　をきっかけに

3　をはじめとして　　**4**　を中心として

6　この町は大学（　　）、若者向けの商店やアパートが集まっている。

1　を問わず　　**2**　を通じて

3　を中心として　　**4**　をもととして

7　あきらめる（　　）、努力を続ければ、必ず成果は表れると信じている。

1　ことなく　　**2**　からには　　**3**　ものだから　　**4**　とおり

8　警備を強化した（　　　）、3億円のダイヤが盗まれ、警備が適切だったか問題になっている。

1　ほうが　　**2**　からには　　**3**　ことなく　　**4**　にもかかわらず

問題2 〈文の組み立て〉

次の文の＿★＿に入る最もよいものを1・2・3・4から一つ選びなさい。

1　インターンシップには、参加したほうが就職に有利だと言われるが、＿＿＿　＿＿＿　＿★＿　＿＿＿　わけではない。

1　内定が　　**2**　もらえる　　**3**　という　　**4**　参加すれば

2　数年前に命にかかわるような　＿＿＿　＿＿＿　＿★＿　＿＿＿　注意するようになった。

1　以来　　**2**　大病を　　**3**　健康に　　**4**　して

3　新製品の　＿＿＿　＿＿＿　＿★＿　＿＿＿　アンケート結果は重要な資料になるだろう。

1　上で　　**2**　この　　**3**　考える　　**4**　宣伝方法を

4　宇宙飛行士を　＿＿＿　＿＿＿　＿★＿　＿＿＿、判断力や問題解決能力もきたえておかなければならない。

1　体力　　**2**　はもとより　　**3**　からには　　**4**　目指す

問題３〈読解〉

次の文章を読んで問題に答えなさい。後の問いに対する答えとして最もよいものを、１・２・３・４から一つ選びなさい。

皆様、本日は私たちABK大学駅伝部のためにお集まりいただき、ありがとうございます。

わが駅伝部は箱根駅伝※出場を目指して、１日も休むことなく練習に励んできました。他大学の選手と比べて、努力が足りなかったわけではないと思いますが、残念ながらこれまでわが校が箱根駅伝の出場権を得ることはありませんでした。でも、今年、私にとっては大学生活最後の年に、ついに夢を実現することができました。今回の出場をきっかけとして、駅伝部は大きく成長できると期待しています。

コーチをはじめ、これまで応援してくださった方のためにも、選手一同、精一杯がんばるつもりです。皆様、応援どうぞよろしくお願いいたします。

※箱根駅伝：東京箱根間往復大学駅伝競走
東京から箱根までの往復を10名の選手が交替しながら走る、大学対抗の伝統的な競技。毎年１月２日と３日に行われる。
箱根駅伝：Tokyo-Hakone Round-Trip College Ekiden Race
Ten runners will take turns running a relay from Tokyo to Hakone and back again in a traditional intercollegiate competition held annually on January 2nd and 3rd.

1　ABK大学駅伝部について正しいものはどれですか。

1　初めて箱根駅伝に出場し、精一杯がんばった。
2　初めて箱根駅伝に出場できることになった。
3　駅伝部は箱根駅伝に出場して、大きく成長した。
4　箱根駅伝に出場するという夢を実現したいと思っている。

2　この会で、誰が誰に話していますか。

1　選手がコーチに話している。
2　コーチが選手に話している。
3　コーチが会の参加者に話している。
4　選手が会の参加者に話している。

問題4〈聴解〉

1　この問題では、問題用紙に何も印刷されていません。この問題は、全体としてどんな内容かを聞く問題です。話の前に質問はありません。まず話を聞いてください。それから、質問と選択肢を聞いて、1から4の中から、最もよいものを一つ選んでください。

1	**1　2　3　4**	06
2	**1　2　3　4**	07

2　この問題では、問題用紙に何も印刷されていません。まず、文を聞いてください。それから、それに対する返事を聞いて、1から3の中から、最もよいものを一つ選んでください。

1	**1　2　3**	08
2	**1　2　3**	09

3 説明を聞く Listening to an Explanation

ホテルの仕事 A Hotel Job

できること

- 仕事などの社会生活の場面での心構えを聞いて、理解できる。
  Listen to and understand an explanation about the attitude required for a job or other adult setting.
- クレーム対応のし方などについての説明を聞いて、理解できる。
  Listen to and understand an explanation about how to handle complaints and the like.

10

今からこのホテルの一員となる皆さんに、ホテルスタッフ**として**の心構えをお話しします。いちばん難しいのは、苦情処理です。皆さん、やりたくないと思うでしょうが、ホテルで仕事を続ける**限り**、お客様からのクレームに対応せ**ざるを得ない**場面に必ず出合います。お客様が苦情をおっしゃったときは、ただ謝ればいい**というものではありません**。そのクレームが正当なものかどうか**はともかく**として、お客様は不快な気持ちになっていらっしゃるので、対応を間違えるとホテルへの信頼を失い**かねません**。では、どうすればいいのでしょうか。そのときはお客様のお話を聞くことがいちばん大切です。数日間滞在するだけのお客様**というより**、自分の家族だと思って、最後まできちんと聞いてください。

わがABKホテルは多くのお客様にサービスの質の高さを評価され、愛されてきました。しかし、今後ホテル業界はますます競争が厳しくなりますから、安心し**てはいられません**。これからの時代は、今まで以上によいサービスを追求する必要があります。ホテルのために、お客様のために、力を合わせて、がんばりましょう。

22 スタッフとしての心構え ★★★

どう使う？

「留学生として」「旅行用として」のように、資格・用途などを言うときに使う。
Use this when you state a qualification, use or the like, as in " 留学生として " and " 旅行用として ".

N ＋ として

①A：来週、出張だって？
　B：うん。シンガポール支社に部長の代理として行くことになったんだ。
②入社後は企業人としての自覚を持って行動してください。
③こちらのかばんはビジネスバッグとしても１泊程度の旅行かばんとしてもお使いいただけますので、たいへん便利です。
④当ホテルではお支払いのときにサービス料として10%いただきます。

やってみよう！

▶答え　別冊P. 2

1）私は ＿＿＿＿ として大学院で経済を研究しながら、週に３回、＿＿＿＿ として日本人にタイ語を教えている。
2）以前は ＿＿＿＿ としてこの店に来ていたが、今は ＿＿＿＿ として働いている。
3）ピアニストになるつもりはないが、ピアノはこれからも ＿＿＿＿ として続けていこうと思っている。

教師　客　研究生　スタッフ　趣味

23 仕事を続ける限り ★★★

どう使う？

「〜限り…」は、「ここにいる限り、安全だ」のように、「〜の状態である（ここにいる）間は変わらない（安全だ）」と言いたいときに使う。
As in " ここにいる限り、安全だ ", use " 〜限り… " when you want to say that something "will not change (is safe) so long as the situation is 〜 (you are here)."

V-る ／ **V-ない**
V-て いる ］＋ 限り

＊「**なA** な ＋ 限り」が使われることもある。

①高齢者でも、働ける限りは働きたいと思っている人が多い。
②練習のやり方を変えない限り、優勝は無理だとコーチに言われた。
③仕事をしている限り、嫌なこともちろんあるが、そこから学ぶことも多い。
④母は「体が丈夫な限り、一人暮らしを続ける」と私に言った。

やってみよう！

▶答え 別冊P. 2

1）すべての書類が（a．そろう　b．そろわない）限り、申請は受け付けないと入管で言われた。
2）この店で店長を（a．している　b．していない）限り、土日は休めない。
3）大きなミスを（a．する　b．しない）限り、日本チームにも勝つチャンスは十分にあります。
4）社長が同意（a．する　b．しない）限り、どんな計画も実行に移せない。

「見た・聞いた・調べた・知っている」などの動詞とともに使い、その範囲でわかっていることを言うときにも使う。
Use this with verbs such as "見た・聞いた・調べた・知っている" when you want to say that you know something within that scope.
①私が知っている限りでは、電気製品はこの店がいちばん安いです。
②調べた限りでは、日本語を勉強するにはこの学校がいちばんいい。
③同僚から聞いた限りでは、今度の部長は仕事に厳しいらしいよ。

☞ p.223 ～に限る／限り

24 対応せざるを得ない ★★

どう使う？

「～ざるを得ない」は、状況から、「嫌だが～しなければならない・～するしかない」と言いたいときに使う。

Use " ～ざるを得ない " when you want to say "I don't like it, but I have to / there's nothing else I can do."

V-~~ない~~ ＋ ざるを得ない

＊「する」→「せざるを得ない」

①台風接近のため、野外コンサートは中止せざるを得なくなった。

②会社からの転勤命令には従わざるを得ないと考える人が多いらしい。

③日本は食料を輸入に頼らざるを得ない状態だ。

④首相の発言は国民感情を無視したものと言わざるを得ない。

やってみよう！

▶答え 別冊P. 2

1）家事は苦手だが、一人暮らしを始めたら、・

2）本校ではバイク通学を認めていましたが、事故が続いたため、・

3）彼は肩を痛めたことで ・

4）取引先から頼まれたら、 ・

・a）プロ野球選手になる夢をあきらめざるを得なかった。

・b）無理な注文でも受けざるを得ない。

・c）全部自分でやらざるを得ない。

・d）禁止せざるを得なくなりました。

☞ p.220 ～得る／得る

25 謝ればいいというものではありません ★★

どう使う？

一般的にそう思われていることも、絶対そうだとは言えないと言いたいときに使う。

Use this expression when you want to say that "people usually think so, but it's not necessarily like that."

Pl ＋ ┌ というものではない
　　　└ というものでもない

＊「**なA**／**N** ＋ というものではない」の形もある。

①勉強は今日やれば明日やらなくていいというものではない。

②結婚は愛があればいいというものでもない。

③泥棒の被害は鍵をかければ防げるというものではない。

④日本での就職には日本語能力試験N1合格が必要だと思われているが、なければだめだというものでもない。

やってみよう！

▶答え 別冊P. 2

1）山奥の自然に恵まれた友人宅で１週間暮らしてみて、必ずしも都会の便利で快適な生活がいい（a．に決まっている　b．というものではない）ことを知った。

2）昨今の就職難を見ると、資格を取れば、仕事に就ける（a．というものではない　b．はずだ）という気がする。

3）安くすれば客は来る（a．にちがいない　b．というものではない）と思うかもしれませんが、商品に魅力がなければ安くても売れないんです。

4）油絵を習い始めたが、好きならば上手になる（a．わけだ　b．というものではない）とわかった。やっぱり才能がないと、限界を感じる。

☞ p.224　～もの／もん

26　正当なものかどうかはともかくとして　★★★

どう使う？

「～はともかく」は、「～」については今は考えないで、ほかの点について言いたいときに使う。

Use " ～はともかく " when you want to say that you are not thinking about " ～ " now but about other things instead.

N ＋ はともかく（として）

＊「～かどうか」「疑問詞 ＋ か」「動詞 ＋ か」と一緒に使うこともある。

①今の仕事は、給料はともかく、やりがいがあるいい仕事だと思っています。

②この魚、見た目はともかく、味は最高ですから、ぜひ食べてみてください。

③試合の結果はともかくとして、最後まで全力で戦うことができたので満足だ。

④あの映画は内容はともかくとして、出演者が有名だから話題になっている。

⑤昨日見たUFO特集は本当かどうかはともかく、たいへん興味深い番組だった。

やってみよう！

▶答え 別冊P. 2

1）健康のために、忙しいとき（a．はともかく　b．を問わず）、普段はできるだけ食事をゆっくりとったほうがいいですよ。

2）安いホテルでも、お風呂（a．はともかく　b．を問わず）、シャワーがついていないと困る。

3）国内外（a．はともかく　b．を問わず）、環境に配慮した製品の開発が行われている。

4）A：初めてケーキを作ってみたんだけど、どう？

B：形（a．はともかく　b．を問わず）、味はいいよ。

4）

27 信頼を失いかねません ★★

どう使う？

「今の状況から判断すると、悪い結果が予想される」と言いたいときに使う。客観的に見るという判断が入っていることが多い。

Use this when you want to say that "judging from the current situation, a bad result is expected." It often includes a judgment based on an objective view.

V-~~ます~~ ＋ かねない

①今のような経営方法では、2、3年のうちに倒産しかねない。
②寝不足で運転したら事故を起こしかねないよ。
③お年寄りはちょっと転んだだけでも骨折しかねないから、注意が必要だ。
④情報管理をきちんとしないと、個人情報を悪用されかねない。

やってみよう！

▶答え 別冊P. 2

1）準備運動もしないで、急に激しい運動をしたら、・

2）インターネットショッピングは気をつけないと、・

3）風邪をひいているのに無理したら、・

4）伊藤さんに秘密を話したりしたら、・

・a）詐欺にあいかねない。

・b）けがをしかねないよ。

・c）クラス中の人に話しかねないよ。

・d）悪化しかねないから、会社休んだほうがいいよ。

28　お客様というより　★★★

どう使う？

「AというよりB」は、「涼しいというより寒い」のように、「Aの言い方（涼しい）よりB（寒い）と言ったほうが適切だ」と言いたいときに使う。
As in "涼しいというより寒い", use " AというよりB " when you want to say "it's more appropriate to say B (it's cold) than A (it's cool)."

Pl ＋ というより
［なAだ　Nだ］

①姉はぼくより10歳年上で、小さいときからいろいろ世話をしてくれたので、姉というより母親のような存在だ。
②『星の王子さま』は子ども向けというより、大人のための本だ。
③この絵は絵というより、まるで写真のようだ。
④この町は昔はにぎわっていたが、今は訪れる人も少なく、静かというよりさびしい町になってしまった感じがする。

やってみよう！

▶答え　別冊P. 3

1）在庫がないので、今注文しても届くのは3か月後だ ＿＿＿＿＿＿＿＿。
2）日本料理で有名なもの ＿＿＿＿＿＿＿＿、てんぷらでしょう。
3）彼女は歌手としてデビューしたが、最近はドラマの仕事が増えて、
　歌手 ＿＿＿＿＿＿＿＿ 女優として活躍しています。
4）顔がよければ、俳優になれる ＿＿＿＿＿＿＿＿。

というものではない	というより	ということだ	といえば

29　安心してはいられません　★★★

どう使う？

「〜てはいられない」は、「〜の状態を続けることができない」と言いたいときや、「〜ができる状態ではない」と言いたいときに使う。「仕事があるから寝てはいられない」には、寝ている状態から、起きて仕事をしなければならないと思って起き上がる場合と、今忙しい仕事をしていて寝られない状態だという場合がある。

Use " 〜てはいられない " when you want to say "I can't do that so long as 〜 " or "I'm not in a situation where I can do 〜 ". You can say " 仕事があるから寝てはいられない " if you wake up thinking that you have to get up and work or if you are so busy with work now that you cannot sleep.

V-て ＋ はいられない

V-~~て~~ ＋ ちゃいられない

＊て形が「〜で」のときは「V ＋ じゃいられない」になる。
＊「N ＋ ではいられない」の形もある。

①A：ちょっと休んだほうがいいですよ。

B：この仕事を明日までに仕上げなきゃならないので、のんびり休んではいられないんですよ。

②新入社員が入って、君たちも先輩になるのですから、いつまでも甘えてはいられませんよ。

③A：朝ご飯、ちゃんと食べてから行きなさい。

B：遅刻しちゃうよ。ご飯なんか食べていられないよ。

④いつまでも夢見る少女じゃいられないよね、私たち。

③

やってみよう！

▶答え　別冊P. 3

1）A：アルバイト、２つもやっているの？

B：いつまでも親に（a．頼ってはいられない　b．頼らざるを得ない）からね。大学院の学費は自分で出さないと。

2）A：伊藤さん、まだ来ませんね。

B：これ以上（a．待っているというものだ　b．待ってはいられない）よ。先に行こう。

3）A：店長、仕事中に寝ないでくださいよ。

B：（a．寝ているわけじゃない　b．寝てはいられない）よ。考えているんだよ。

Check

▶答え 別冊P. 3

1）材料費が上がっているので、うちのパンやケーキも値上げせ ＿＿＿＿＿＿ んです。

2）そんな大変な仕事を頼んだら、会社を辞めると言い ＿＿＿＿＿＿ よ。

3）作文はたくさん書けばいい ＿＿＿＿＿＿。考えをまとめて、意味のある内容にすることが大切です。

4）A：仕事、探しているんだって？
　B：うん、もう30歳だし、いつまでも夢を追いかけ ＿＿＿＿＿＿ からね。

てはいられない　かねない　ざるを得ない　というものではありません

5）明後日は卒業試験です。特別な事情がない ＿＿＿＿＿＿、遅刻、欠席は認めません。

6）この店は、味 ＿＿＿＿＿＿、値段が安いし、量も多いので、大学生に人気がある。

7）プロ ＿＿＿＿＿＿ 恥ずかしくない成績が残せるよう、がんばります。

8）一口サイズのおにぎりなんて、食事 ＿＿＿＿＿＿ おやつだよ。

として　というより　はともかく　限り

まとめの問題 Review questions

▶答え 別冊P.11

問題1 〈文法形式の判断〉

次の文の（　　）に入れるのに最もよいものを1・2・3・4から一つ選びなさい。

1　歴史ある建物だが、古くなって危険なので（　　）。

1 壊してしょうがない　2 壊さないはずだ
3 壊しっこない　4 壊さざるを得ない

2　テレビ番組は内容によっては、若者に悪い影響を（　　）。

1 与えざるを得ない　2 与えかねない
3 与えないところだ　4 与えっこない

3　バイオリンは弾く（　　）歌うような感覚が大事です。なぜなら、バイオリンの音色は人の声に近いと言われていますから。

1 として　2 といえば　3 というより　4 というと

4　この靴はデザイン（　　）たいへん歩きやすいので気に入っています。

1 として　2 について　3 によって　4 はともかく

5　仕事は長い時間働けばいい（　　）。時間をかけないで効率よく進めることを考える必要がある。

1 に限る　2 ということだ
3 というものではない　4 に決まっている

6　どんな仕事でも自分でやってみない（　　）その大変さはわからないだろう。

1 として　2 限り　3 際　4 というより

7　本日はグラフィックデザイナー（　　）ご活躍の渡辺たかしさんにお話を伺いたいと思います。

1 として　2 を問わず　3 をはじめ　4 はもとより

8　A：部長、パソコンの本、ずいぶん熱心に読んでますね。
B：うん。パソコンが使えなかったら何もできないんだから、できないと（　　　）からね。

1　言うというものではない　　2　言いかねない
3　言わざるを得ない　　4　言ってはいられない

問題2 〈文の組み立て〉

次の文の ＿★＿ に入る最もよいものを1・2・3・4から一つ選びなさい。

1　A：Bさん、お酒、好きだよね。週に3回は飲みに行っているんじゃない？
B：そうじゃないのよ。＿＿＿ ＿＿＿ ＿★＿ ＿＿＿ 好きなのよ。

1　雰囲気が　　2　というより　　3　好き　　4　お酒が

2　A：新しいアルバイト、ちゃんとやってる？
B：もちろんだよ。まじめに ＿＿＿ ＿＿＿ ＿★＿ ＿＿＿ からね。

1　クビに　　2　やらないと　　3　かねない　　4　され

3　A：先生、無理です。そんなのできません。
B：＿＿＿ ＿＿＿ ＿★＿ ＿＿＿ ことが大切です。がんばってね。

1　やってみる　　2　かどうか　　3　できる　　4　はともかく

問題3 〈文章の文法〉

次の文章を読んで、文章全体の内容を考えて、［1］から［5］の中に入る最もよいものを、1・2・3・4から一つ選びなさい。

会社に勤めている［1］、前の晩どんなに遅く帰宅しても、翌朝はいつも通り9時に［2］のが日本のサラリーマンだ。午前中［3］午後2時を過ぎると、人間の体のリズムから自然に眠くなる。

そうなったら、事故や仕事のミスを生み［4］。睡眠不足は、会社が休みの日にたくさん寝れば、解消する［5］。眠くなる時間帯に短い睡眠を取るほうが、眠くなるのを防げると専門家は言う。

東京のビルにある「仮眠室」には、多い日には120人も訪れるそうだ。利用者の話では、眠気を解消するには、深く眠らないで15分程度軽く寝るのがいいということだ。

1	1 というのは	2 限り	3 においては	4 というと

2	1 出社するというものでもない	2 出社しないはずだ
	3 出社せざるを得ない	4 出社しないということだ

3	1 にかわって	2 に限り	3 を問わず	4 はともかく

4	1 たがる	2 かねる	3 かねない	4 っこない

5	1 ことか	2 というものではない
	3 ことになっている	4 ことにする

問題4〈聴解〉

1　この問題では、まず質問を聞いてください。それから話を聞いて、問題用紙の1から4の中から、最もよいものを一つ選んでください。

11

1 東京商事に機械を納入する
2 関係書類を持ってくる
3 東京商事に電話する
4 東京商事へ行く

2　この問題では、問題用紙に何も印刷されていません。まず、文を聞いてください。それから、それに対する返事を聞いて、1から3の中から、最もよいものを一つ選んでください。

1	1 2 3	12
2	1 2 3	13
3	1 2 3	14

ニュースを聞く　Listening to the News

台風情報　Typhoon Information

できること

- 天気予報、台風情報などのニュースを聞いて理解できる。
  Listen to and understand news such as weather forecasts and typhoon information.

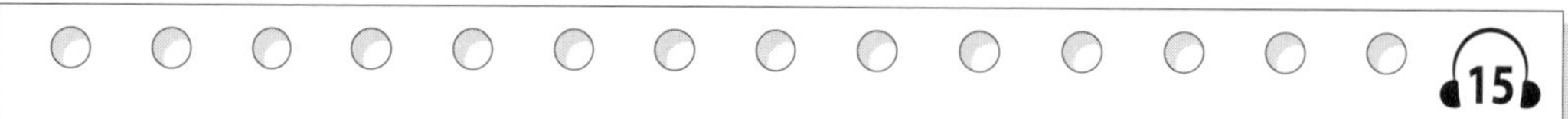

次は台風関係のニュースをお伝えします。

非常に強い台風５号は８月１日15時には日本の南海上にあって、１時間におよそ30キロメートルの速さで北東に進んでいます。中心の気圧は945ヘクトパスカル、中心付近の最大瞬間風速は35メートルです。今後台風は速度を速め**つつ**東に進むと予想されます。

現在、沖縄を中心に暴風域に入り、広範囲**にわたって**強い雨が降っています。また、九州沿岸**から**四国**にかけて**波も高くなってきています。

台風の接近**にともない**、九州南部をはじめ各地域に大雨洪水注意報が出されています。これから明日の明け方にかけて、局地的に１時間70ミリの強い雨が降る**おそれがあります**。台風の進路にあたる地域では、強風**とともに**河川の増水にもご注意ください。

なお、暴風域に入った沖縄の様子は中継がつながり**次第**、番組の中でお伝えする予定です。

30　速度を速めつつ　★★

どう使う？

「～つつ」は、「～ながら」と同じ意味で使う。

V-~~ます~~ ＋ つつ

①クリスマスを前におもちゃ売り場には、喜ぶ子どもの顔を思い浮かべつつ、プレゼントを選ぶお父さんの姿が増えています。

②転んでけがをした足をかばいつつ走り続け、完走した鈴木選手に、観客から温かい拍手が送られた。

③この会議では各部署の問題点を検討しつつ、今後の方針を決定していきたいと思います。

④趣味の園芸教室で草花の育て方を学びつつ、仲間とのおしゃべりを楽しんでいます。

やってみよう！

▶答え　別冊P. 3

1）このホテルでは美しい景色を楽しみつつ、・　　・a）近所の人に人形作りを教えている。

2）新しい出会いを期待しつつ、・　　・b）ゆっくり温泉につかることができます。

3）母は家業を手伝いつつ、・　　・c）救助を待っていました。

4）厳しい寒さの中で励まし合いつつ、・　　・d）パーティーに出かけた。

☞ p.223　～つつ

31　広範囲にわたって

どう使う？

「1週間にわたって雨が降り続いた」「高速道路は50キロにわたって渋滞している」のように、時間や場所の範囲全部でという意味で使う。

Use this to mean throughout a long length of time or wide area as in "１週間にわたって雨が降り続いた" and "高速道路は50キロにわたって渋滞している".

N ＋
- にわたって
- にわたり
- にわたる ］＋ **N**
- にわたった ］＋ **N**

①台風で電線が切れ、この町は全域にわたって停電した。

②本日から約２週間にわたって、オリンピックが行われる。

③長年にわたる研究が実り、ついに新製品が完成した。

④彼は政治・経済・外交など多方面にわたって活躍している。

やってみよう！

▶答え 別冊P. 3

1）今年の生け花講座は10回（a. にわたり　b. にわたる）市民センターで行われる。

2）10年間（a. にわたって　b. にわたった）遺跡の調査が昨年終了した。

3）事故のため、数時間（a. にわたり　b. にわたる）新幹線がストップした。

4）弟はバイク事故で大けがをしたが、8時間（a. にわたり　b. にわたる）手術が成功して命が助かった。

32 九州沿岸から四国にかけて ★★★

どう使う？

「AからBにかけて」は、「今週から来週にかけて雨の日が多い」「渋谷から新宿にかけてたくさんの専門学校がある」のように、AからBまでの間という意味で、時間や場所のだいたいの範囲を言うときに使う。

Use " AからBにかけて " when you say that something is within a broad period of time or area between A and B as in " 今週から来週にかけて雨の日が多い " and " 渋谷から新宿にかけてたくさんの専門学校がある ".

N1 ＋ から ＋ N2 ＋ にかけて

①本日、九州から四国地方にかけて、梅雨入りしました。

②この動物はアジアからアフリカにかけて、群れで暮らしている。

③12月中旬から年末にかけて、町は買い物客でにぎわう。

④今年流行のブラウスは肩から腕にかけてレースがついているのが特徴です。

☞ p.224 ～にかけて

やってみよう！

▶答え　別冊P. 3

1）この地方では12月から3月にかけて、・　　　　・a）赤くなってしまった。

2）不況のため、1998年から2002年にかけて、・　　　　・b）広く栽培されています。

3）海で日焼けして首から背中にかけて、・　　　　・c）雪が降り、積雪は3メートルになることもある。

4）日本茶は秋田から沖縄にかけて、・　　　　・d）鉄鋼会社30社が倒産した。

33　台風の接近にともない 

どう使う？

「～にともなう」は、「道路工事にともなう通行止め」のように、中心になること（道路工事）と同時に、ほかのこと（通行止め）も一緒に起きるときに使う。変化を表すときにも使う。

As in "道路工事にともなう通行止め", use "～にともなう" when the focus of the sentence (road construction) simultaneously produces a concurrent result (a closed road). You can also use it to express a change.

N ＋ ┌ にともなって
　　　│ にともない
　　　└ にともなう ＋ N

①本社移転にともなって、最新のコンピューターシステムが導入されることになった。

②議員の任期満了にともない、総選挙が行われた。

③一人暮らしは自由だが、それにともない、責任も生じる。

④時代の変化にともなって、人々の考え方も変わってきた。

やってみよう！

▶答え　別冊P. 3

1）科学の進歩（a．にともなって　b．にともなう）人々の生活も便利になった。

2）留学（a．にともなって　b．にともなう）ビザの申請はとても複雑だと思う。

3）気温の上昇（a．にともない　b．にともなう）アイスクリームの売り上げが増加し始めた。

4）工場などの事業活動（a．にともなって　b．にともなう）出るごみは、市では回収しません。

34　雨が降るおそれがあります

どう使う？

「～おそれがある」は、客観的なデータなどをもとにして、危険な状態になる可能性が高いことを伝えるときに使う。ニュースや新聞、報告書などに使われることが多い。

Use " ～おそれがある " when you say that there is a high likelihood that—based on objective data or the like—the situation will become dangerous or otherwise undesireable. It is often used in news shows, newspapers, reports and the like.

V-る ／ V-ない
N の　　　　］＋ おそれがある

①噴火のおそれがありますので、避難してください。

②この地震による津波のおそれはありません。

③この化粧品はアレルギーを引き起こすおそれがあるので、販売中止になった。

④災害時には携帯電話がつながらないおそれがありますから、別の連絡方法を考えておいてください。

⑤夕方から雷が発生し、それにともない局地的に大雨が降るおそれがあります。

やってみよう！

▶答え　別冊P. 3

1）車を整備しないと、事故を（a．起こす　b．起こさない）おそれがある。

2）さらに大気汚染が進めば、地域住民の健康を（a．害する　b．害さない）おそれがある。

3）近くに工場が増えたので、川の水が（a．汚れる　b．汚れない）おそれがある。

4）お客様の搭乗が遅れますと、予定通りに出発（a．できる　b．できない）おそれがございますので、早めのご準備をお願いいたします。

35　強風とともに　★★★

どう使う？

「～とともに…」は、「～と一緒に・～だけでなく」と言うときに使う。「～と一緒に…が生じる・起きる」と言うときや、変化を表すときにも使う。

Use " ～とともに…" when you say "together with ～ " or "not only ～ but also …". You can also use it to say that "… happens together with ～ ", or to express a change.

V-る
N
\] ＋ とともに

①彼は医療ボランティアとして現地の医師とともに日夜病気の治療を行っている。

②大雨警報が出ています。洪水とともに、土砂崩れにも十分な注意が必要です。

③宅地開発にはそこに住んでいる人々の生活環境を整えるとともに、自然環境を守ることが求められる。

④科学技術の進歩とともに、宇宙の謎が明らかになっていくだろう。

やってみよう！

▶答え 別冊P. 3

1）奈良は古い都であるとともに、　・　　・a）ネット犯罪が増加している。

2）私の高校は野球大会で優勝して、写真とともに　・　　・b）親子の関係にも変化が生じる。

3）インターネット利用の拡大とともに、　・　　・c）新聞に紹介された。

4）子どもが成長するとともに、　・　　・d）桜の名所でもある。

30～36

36 中継がつながり次第 ★★★

どう使う？

「～次第…」は、「(今はまだできないが）～たら、すぐ…する」と言うときに使う。

Use " ～次第…" when you say "when something (that I can't do yet) happens, I'll do … right away."

V-~~ます~~
N
\] ＋ 次第

①ただ今、全線で運転を見合わせておりますが、情報が入り次第、お伝えいたします。

②サンプルができ次第、お持ちしますので、ぜひご検討ください。

③ご注文の品が入荷次第、お届けいたしますので、しばらくお待ちください。

④現在移動中ですが、現地に到着次第、連絡を入れます。

やってみよう！

▶答え 別冊P. 3

1）花村さんが（a．来次第　b．来て以来）、送別会を始めましょう。

2）花村さんが（a．来次第　b．来て以来）、職場の雰囲気が明るくなった。

3）お客様からのご入金が確認（a．でき次第　b．できるとともに）、商品を発送いたします。

4）当機（a．出発次第　b．出発の際）、非常ドアの安全確認のため、出発時刻が大幅に遅れましたことをおわび申し上げます。

☞ p.222　～次第

Check

▶答え 別冊P. 3

1）首都圏の高速道路 ＿＿＿＿＿＿、昨年10月から１年 ＿＿＿＿＿＿ 調査が行われた。利用状況を見て、環境に配慮し ＿＿＿＿＿＿ 交通網を整備する ＿＿＿＿＿＿資料として使われる。

つつ　にわたって　ための　について

2）東北地方から関東地方 ＿＿＿＿＿＿、大きな地震が発生しました。この地震 ＿＿＿＿＿＿、津波が発生する ＿＿＿＿＿＿、気象庁は注意を呼びかけています。詳しい情報が入り ＿＿＿＿＿＿、お伝えします。

にともない　にかけて　おそれがあり　次第

まとめの問題 Review questions

▶答え 別冊P.12

問題1 〈文法形式の判断〉

次の文の（　　）に入れるのに最もよいものを１・２・３・４から一つ選びなさい。

1 今回のタンカーの事故で流出した油が幅５メートル、長さ300メートル（　　）広がり、環境汚染が心配されています。

1 にともなって　**2** について　**3** にわたって　**4** を中心に

2 みどり市では市民の皆様（　　）環境保護に取り組んでいます。

1 にともない　**2** とともに　**3** にかけて　**4** 次第で

3 絶滅する（　　）動植物の保護に関する条約が新しく作られたそうだ。

1 かわりに　**2** はずがない　**3** ことがある　**4** おそれがある

4 ブログに新しい写真をアップしたら、先週から今週（　　）、ホームページのアクセス数が急増して驚いた。

1 にともない　**2** にかけて　**3** にとって　**4** とともに

5 商品の受注が増えたのはいいが、それ（　　）残業が増えて、従業員から不満が出ている。

1 にともなって　**2** にわたって　**3** にとって　**4** にかけて

6 準備が整い（　　）、始めさせていただきますので、そのまま少々お待ちください。

1 ながら　**2** そうに　**3** 次第　**4** かねないので

7 １年前、私は日本での生活に不安を（　　）、成田行きの飛行機に乗り込んだ。

1 感じ次第　**2** 感じつつ

3 感じるおそれがあって　**4** 感じかねないので

問題2 〈文の組み立て〉

次の文の ＿★＿ に入る最もよいものを1・2・3・4から一つ選びなさい。

[1] このサプリメントは ＿＿ ＿＿ ＿★＿ ＿＿ ので、正しい用法を守ってお使いください。

1 健康を　　**2** おそれがあります

3 害する　　**4** 飲みすぎると

[2] 救助隊が現場に ＿＿ ＿＿ ＿★＿ ＿＿ ことになっています。

1 開始する　**2** 救援活動を　**3** 着き　**4** 次第

[3] 景気の ＿＿ ＿＿ ＿★＿ ＿＿、わが国の財政も苦しくなっています。

1 悪化　**2** 減少し　**3** 税金収入が　**4** にともなって

問題3 〈文章の文法〉

次の文章を読んで、文章全体の内容を考えて、[1] から [4] の中に入る最もよいものを、1・2・3・4から一つ選びなさい。

皆さん、ご入学おめでとうございます。時代の変化 [1]、大学も大きく変革を迫られております。わが校でも新しい学部の開設のため、長年 [2] 議論を重ねてまいりました。そして、いよいよ今年度より新しい学部がスタートします。その第1期生 [3] 入学された皆さんは、新しく生まれた国際学部 [4] 大きく成長していくと確信しています。皆さん、どうぞ悔いのない学生生活を送ってください。

[1] **1** を問わず　**2** にともない　**3** においては　**4** のもとで

[2] **1** とともに　**2** にともなって　**3** にわたり　**4** につき

[3] **1** に限り　**2** をはじめ　**3** はもとより　**4** として

[4] **1** とともに　**2** はともかく　**3** に応じ　**4** をきっかけに

問題4 〈聴解〉

1　この問題では、まず質問を聞いてください。そのあと、問題用紙の選択肢を読んでください。読む時間があります。それから話を聞いて、問題用紙の1から4の中から、最もよいものを一つ選んでください。

1
1 地震で故障した　2 今、動いていない
3 安全が確認された　4 運転を再開した
16

2
1 雪だけ　2 雪と雷
3 雪と雷と風　4 雪と雷と風と波
17

3
1 東名高速道路で工事をする　2 東名高速道路を通らない
3 安全に運転する　4 作業を手伝う
18

2　この問題では、問題用紙に何も印刷されていません。まず、文を聞いてください。それから、それに対する返事を聞いて、1から3の中から、最もよいものを一つ選んでください。

1　2　3
19

5 友達同士の会話 A Conversation with a Friend

就職活動（1） Job Hunting (1)

できること

● 自分の困った状況が友達に説明できる。
Explain a problematic situation you have to a friend.

20

渡辺：ねえ、サークルのみんなで旅行に行かない？ 私もアメリカに留学しちゃったら、みんなにも簡単に会えなくなるし…。去年京都に行った**きり**、今年はどこへも行っていないし…。

木山：悪いけど、就職先もまだ決まらないのに、旅行**どころじゃない**よ。

渡辺：そうか…。ゲーム会社に入りたいんだったよね。どう？

木山：うーん。いろいろ情報は集めている**ものの**、なかなか厳しくて…。困った**ことに**この業界、募集はどこも「若干名」なんだよ。

渡辺：へえ。人気の業界**にしては**、求人少ないんだね。

木山：求人があるところは全部応募して、自己ＰＲ何回書いた**ことか**。

37 京都に行ったきり ★★

どう使う？

「～きり」は、「友人とは２年前に別れたきり、会っていない」のように、「～（別れた）のあとはそのままだ（会っていない）」と言いたいときに使う。

As in "友人とは２年前に別れたきり、会っていない", use "～きり" when you want to say "things have been the same (we haven't met) since then (after we parted)."

V-た ＋ きり

＊話し言葉では「**V-た** ＋ っきり」も使われる。

①彼は「ごめん」と言ったきり、黙(だま)ってしまった。

②家には2、3回使ったきりの健康器具(けんこうきぐ)がいくつもある。

③あの歌手、何年か前にテレビで見たきりだけど、今どうしているのかなあ。

④ステーキなんて、半年前に食べたっきりだよ。

⑤うちの犬は体がすっかり弱って、毎日ほとんど寝たきりだ。

②

やってみよう！

▶答え 別冊P. 3

1）うっかり眼鏡(めがね)をかけた（a．まま　b．きり）顔を洗ってしまった。

2）忙しくて、朝コーヒーを飲んだ（a．まま　b．きり）で、夕方まで何も食べられなかった。

3）電車の中で立った（a．まま　b．きり）寝ている人がいるのは日本だけだろうか。

4）いつもDVDで見ているから、映画館なんて3年前に行った（a．まま　b．きり）だ。

1「V-~~ます~~ +（っ）きり」の形で、「ずっと～が続いている状態(じょうたい)だ」と言いたいときにも使う。

Use the "V-~~ます~~ +（っ）きり" form when you want to say that the situation have continued indefinitely.

①妻(つま)は赤(あか)ん坊(ぼう)の世話(せわ)にかかりっきりなので、掃除(そうじ)や洗濯(せんたく)は私がしています。

②佐藤(さとう)さんは新入社員をつきっきりで指導(しどう)している。

2「～だけ」の意味で「数の言葉 + きり」の形でも使われる。

①女性が1人きりで夜道(よみち)を歩くのは危険(きけん)だ。

②彼と2人っきりでクリスマスを過(す)ごすのが私の夢(ゆめ)なの。

③一度きりの人生だから、悔(く)いのないように生きようと思う。

☞ p.221　～きる／きり

38 旅行どころじゃない ★★★

どう使う？

「～どころではない」は、今は「～ができる状態ではない（だからできない）」という自分の状況を説明したいときに使う。

Use " ～どころではない " when you want to explain that your situation now is "not a situation where I can do ～ (so I can't do it)."

N / V-る ＋ どころではない / どころじゃない

①A：学校が終わったらカラオケ行かない？

　B：カラオケどころじゃないよ！ レポート、書かなきゃ。明日締め切りなんだ。

②A：海水浴どうだった？ 楽しかった？

　B：人が多くて、ゆっくり泳ぐどころじゃなかったよ。

③A：部長、友達が東京に出てくるので、来週１週間休暇をいただきたいんですが…。

　B：この忙しいときに、お前、休暇どころじゃないだろう。状況を考えてみろ。

やってみよう！

▶答え 別冊P. 3

1）今日は会社の忘年会だったが、大雪で電車が止まってしまって、（a．忘年会　b．会社）どころではなかった。

2）旅行先でお腹をこわして（a．薬を飲む　b．観光をする）どころではなかった。

3）大学時代はアルバイトに追われて（a．アルバイト　b．勉強）どころではなかった。

☞ p.223 ～ところ／どころ

39 情報は集めているものの ★★

どう使う？

「～ものの」は、「ほしくて買ったものの」のように、「～は事実だ（ほしくて買った）けれども」という気持ちを強く言いたいときに使う。事実を強調するために、助詞「は」を使うことが多い。

Use " ～ものの " when you really want to say you feel that "even though the fact is ～ (I wanted it and bought it)," as in " ほしくて買ったものの ". The particle " は " is often used to emphasize the fact.

Pl ＋ ものの
[なAだな ~~Nだ~~]

＊「なA／Nで（は）ある ＋ ものの」の形もある。

＊「～ている・～てみる」などは「～てはいる」のように「は」が入ることが多い。

①水泳教室に通ってはいるものの、いまだに25メートルしか泳げない。

②この靴、デザインが気に入って買ったものの、履く機会が全然ないんだ。

③新しい技術が開発されたとはいうものの、実用化にはまだ時間がかかるだろう。

④両国間の関係修復は、困難ではあるものの、改善に向けての努力は必要だ。

やってみよう！

▶答え 別冊P. 3

1）今年こそ手編みのセーターを絶対完成させると決心したものの、（　　　）。

　a．編み上げたころには春になっているかもしれない

　b．春になったらすてきなセーターができそうだ

2）社長に新製品の開発を命じられたものの、（　　　）。

　a．なかなかいいアイデアが浮かばない

　b．ヒット商品が生まれるかもしれない

3）私の場合、年間20日の有給休暇が取れることになっているものの、（　　　）。

　a．海外旅行に行こうと思う

　b．実際に20日も休んだことはない

☞ p.224　～もの／もん

40　困ったことに

どう使う？

「困ったことにお金がなかった」のように、「お金がなくて困った」ことを倒置的に言って、話者の気持ち、感情を強く表したいときに使う。

Use this expression when you say something like "困ったことにお金がなかった" in reverse order, like "I didn't have money and it was a problem," and you want to strongly express a feeling or emotion.

V-た
いA　　＋ ことに
なAな

＊「驚いた・困った・うれしい・悲しい・不思議な・残念な・ありがたい」などの言葉と一緒に使う。

①ホテルの部屋に入ったら、驚いたことに、バラの花束とホテルマネージャーからの歓迎メッセージがテーブルの上に置いてあった。

②うれしいことに、うちの高校が合唱コンクールで優勝したんですよ。

③五色沼は不思議なことに、5つある沼の水の色が全部違うそうだ。

④残念なことに、行きつけの美容院が閉店してしまった。

☞ p.221 ～こと

41 人気の業界にしては ★★

どう使う？

「小学1年生にしては背が高い」のように、「～にしては」は、「～から予想することとは違う」と言いたいときに使う。

Use "～にしては" when you want to say that something is "different from what you would expect from ～" as in "小学1年生にしては背が高い".

N ＋ にしては

＊ Pl ［なAだ］の場合もある。

①今人気のエリナはモデルにしては背が高いほうではない。

②このお弁当は300円にしては量も多いし味もいい。

③A：そのコート、すてきね。

B：30年前に母が着てたのなんだけど、それにしてはデザインも古くないでしょ？

④そのおすし、初めて作ったにしては上手にできたじゃない。

やってみよう！

▶答え 別冊P. 4

1）隣のさくらちゃんは、5歳（a．に応じて　b．にしては）絵がうまい。

2）青木さんは卒業生代表（a．にしては　b．として）校長先生に感謝の言葉を述べた。

3）フレックスタイム制度は自分の希望（a．に応じた　b．にしては）時間帯で働ける制度だ。

4）今日は日中の最高気温が10度までしか上がらず、3月下旬（a．というより　b．にしては）寒い1日となりそうです。

42 何回書いたことか ★

どう使う？

自分がこれまでしてきたことや感じていることについて、気持ちを込めて言うときに使われる。

「どんなに・どれだけ・どれほど」などの言葉と一緒に、独り言として言うことが多い。
Use this when you say with emotion what you have done or felt up to now. It is often said to oneself together with words such as " どんなに・どれだけ・どれほど ".

Pl ＋ ことか
[**なA** だな　~~**N** だ~~]
*「**なA** ／ **N** である ＋ ことか」も使われることがある。

①人は私のことを頭がいいと言うけど、この試験に合格するために、どれだけ勉強したことか。私の努力は誰も知らないでしょうね。

②子どものころ、親の転勤のために親友と別れなければならなくて、どんなに悲しかったことか。

③言葉が通じない外国で病気になって、どれほど心細かったことか。あのときの看護師さんには今でも感謝しています。

④週末、台風が来そうで心配だ。運動会が中止になったら、楽しみにしている娘がどんなにがっかりすることか。

☞ p.221　～こと

Check

▶答え 別冊P. 4

1）A：今日、飲みに行かない？
　 B：急に部長に仕事を頼まれちゃって、それ ＿＿＿＿＿＿ よ。

2）友達にすすめられて新しいサプリメントを試してみた ＿＿＿＿＿＿、あまり効果がなかった。

3）彼が買った車は中古車 ＿＿＿＿＿＿ ボディもきれいで、エンジンの調子もいい。

4）困った ＿＿＿＿＿＿、ATMが故障していてお金が下ろせない。

5）A：健康診断、毎年受けてる？
　 B：ううん。5年前に受けた ＿＿＿＿＿＿。

6）一晩中連絡もしないで、どこへ行ってたの。どんなに心配した ＿＿＿＿＿＿。

ことか	にしては	どころじゃない	ことに	ものの	きり

友達同士の会話　A Conversation with a Friend

就職活動（2）　Job Hunting (2)

できること

- 自分の困った状況が友達に説明できる。
  Explain a problematic situation you have to a friend.
- 友達の話に共感して励ますことができる。
  Sympathize with what a friend says and offer encouragement.

21

渡辺：難しいね。やる気**さえ**あれ**ば**、採用してもらえるというものじゃないだろうし。

木山：そうなんだよ。募集がなければがんばり**ようがない**し…。このままゲーム会社にこだわって、さんざん苦労した**あげく**、どこにも就職できなかったらどうしようって思ったりして…。

渡辺：そんなこと考える**もんじゃない**よ。成功するって信じなきゃ。ゼミの先輩も、絶対だめだと思ったけど出す**だけ**出してみるって言って、結局その会社に入れたんだって。

木山：へえ、そうなんだ。

渡辺：だから、とにかくあきらめないで、最後までがんばろうよ。ね。

43　やる気さえあれば　★★★

どう使う？

「給料さえよければどんな仕事でもいい」のように、「〜さえ…ば」は、「〜だけが必要な条件だ」と言いたいときに使う。

Use " 〜さえ…ば " when you want to say " 〜 is the only necessary condition" as in "給料さえよければどんな仕事でもいい".

N + さえ + …ば

V-~~ます~~ + さえ + すれば／しなければ

なA で ┐
N で ┘ + さえ + あれば／なければ

①A：レポート終わった？
　B：もう少し。あと、最後のまとめさえ書けば終わりだよ。

②そちらのご都合さえよければ、明日伺わせていただきます。

③A：あの車、すてきなデザインね。
　B：車なんて走りさえすればいいんだよ。

④食べられさえすれば、味は問わないよ。

⑤残念だったね、さくらちゃん。転びさえしなければ１位だったのに…。

⑥留学生活は大変だけど、健康でさえあればどんな困難も乗り切れると信じてがんばろうと思う。

やってみよう！

▶答え 別冊P. 4

1）40度の高熱が出さえしなければ、・　　・a）どこの大学の何学部でもかまいません。

2）有名でさえあれば、・　　・b）入学試験が受けられたのに。

3）ペットさえいれば、・　　・c）朝ご飯は十分です。

4）ご飯と納豆さえあれば、・　　・d）一人暮らしもさびしくない。

p.222 ～さえ

44 がんばりようがない ★★★

どう使う？

「～ようがない」は、「私も知らないから教えようがない」のように、「理由（私も知らない）があって～をする（教える）ことができない」と言いたいときに使う。「どうしようもない」という言い方は、できることが何もないという意味。

As in " 私も知らないから教えようがない ", use " ～ようがない " when you want to say "because of (I don't know either), I can't ～ (tell you)." When you say it as " どうしようもない ", it means that there is nothing you can do.

V-~~ます~~ + ようがない

37
～
47

①出張の予定だったが、大雪で飛行機が欠航してしまったので行きようがない。

②A：どうして1週間も連絡してくれなかったの。

B：ごめん。携帯電話をなくしちゃって、連絡しようがなかったんだ。

③タケダ産業に就職したいが新卒の採用がないので、どうしようもない。

やってみよう！

▶答え 別冊P. 4

1）日本の少数民族について論文を書きたいと思ったが、参考資料が少なすぎて、（a. 調べようがない　b. 調べきれない）。

2）新しいオフィスに引っ越ししたが、注文したキャビネットがまだ届かないので、書類を（a. 片付けようがない　b. 片付けざるを得ない）。

3）A：お酒、お好きですか。

B：ええ。でも、ワインだけです。何でも（a. 飲みようがありません　b. 飲むわけではありません）。

4）あの山田さんがそんな面倒な仕事を（a. 引き受けようがない　b. 引き受けるはずがない）。

☞ p.225　～よう

45　苦労したあげく

どう使う？

長い時間かかったり、いろいろしたりして大変だった後で、どうなったかという結果を言いたいときに使う。よくない結果になったことを言うことが多い。

Use this when you want to say how something turned out after a tough experience that took a lot of time or involved various effort. It is often used to say that the result is not good.

V-た ＋ あげく（に）

①A：お父さん、私、単位落としちゃって、もう一度2年生をやることになっちゃったんだ。

B：何？ 遊びまわったあげくに留年するなんて、何を考えているんだ。

②さっきのお客さん、あれこれ試着したあげく、何も買わずに帰っちゃって…。

③3時間以上迷ったあげく、店員に初めにすすめられたパソコンを買うことにした。

やってみよう！

▶答え 別冊P. 4

1）彼は徹夜でゲームをした（a．あげく　b．ものの）、遅刻して、宿題まで忘れてきた。

2）社長にはなった（a．あげく　b．ものの）、会長が何でも決めてしまうので、何もできない。

3）２日休んで、熱は下がった（a．あげく　b．ものの）、まだのどが痛い。

4）税金を無駄遣いした（a．あげく　b．ものの）、消費税を引き上げるなんて許せない。

46　そんなこと考えるもんじゃない ★

どう使う？

「～ものではない」は、「～してはいけない・～するべきではない」と注意するときに使う。
Use " ～ものではない " when you warn somebody that "you must not do ～; you shouldn't do ～ ".

V-る ＋ [ものではない / もんじゃない]

①楽をしてお金をもうけようなんて考えるもんじゃない。

②人の悪口を言うもんじゃありません。

③社内のことは小さいことでも、部外者に話すものではない。

④A：どうも、すみませ～ん。
　B：何、笑ってるんだ！ 謝るときにはへらへら笑うもんじゃない。

④

☞ p.224　～もの／もん

37
～
47

47　出すだけ出してみる ★

どう使う？

「～だけ」は、「だめかもしれないが、～してみる」と言いたいときに使う。
Use " ～だけ " when you want to say "it might not work out, but I'll try ～ ".

V-る ＋ だけ ＋ V

①今から行っても間に合わないかもしれないけど、行くだけ行ってみようよ。

②A：忙しいから、休みなんてもらえないだろうなあ。

B：今日、課長機嫌（かちょうきげん）がいいから、頼（たの）むだけ頼（たの）んでみたら？

③このドレス、すてきだよね。似合（にあ）わないかもしれないけど、着るだけ着てみようかな。

☞ p.222 ～だけ

Check

▶答え 別冊P. 4

1）わざわざ大学病院へ行ったのに、さんざん待たされた ＿＿＿＿＿＿＿、診察（しんさつ）時間はたった２分だった。

2）A：久（ひさ）しぶりの海外旅行だから、何か忘れていないか心配（しんぱい）。

B：パスポートとお金 ＿＿＿＿＿＿＿ 持っていけば、何とかなるよ。

3）A：この機械（きかい）、直していただけませんか。

B：部品（ぶひん）がないので、直し ＿＿＿＿＿＿＿ んですよ。

4）しかられるのが怖（こわ）いからといって、うそをつく ＿＿＿＿＿＿＿。

5）この奨学金（しょうがくきん）をもらうのは難しいけれど、申し込む ＿＿＿＿＿＿＿ 申し込もうと思っているんだ。

さえ	あげく	ものではない	だけ	ようがない

まとめの問題 Review questions

▶答え 別冊P.13

問題1 〈文法形式の判断〉

次の文の（　　）に入れるのに最もよいものを1・2・3・4から一つ選びなさい。

1　彼は、自分のミスで仕事が遅れたのに、あれこれ言い訳した（　　）、結局一言も謝らなかった。

1　にしては　**2**　からには　**3**　ことなく　**4**　あげく

2　面接のチャンス（　　）もらえれば、私の熱意が伝えられるのに…。

1　ながら　**2**　に限り　**3**　さえ　**4**　を問わず

3　本場のタイ料理を作ってほしいと頼まれたが、材料がないので（　　）。

1　作るおそれがある　**2**　作るわけではない

3　作りようがない　**4**　作るものだ

4　明日は試験なのに、おなかが痛くて勉強（　　）。

1　するどころではない　**2**　するわけではない

3　することはない　**4**　するものではない

5　ABK社は一流企業（　　）給料が安くてびっくりした。

1　にしては　**2**　はもとより　**3**　を問わず　**4**　さえ

6　郊外に新しくできたスーパーに、一度行ってみたいと思っている（　　）、車がないから、行きようがない。

1　あげく　**2**　とともに　**3**　にしては　**4**　ものの

7　この本は子どものころ一度読んだ（　　）、ストーリーも忘れてしまいました。

1　ことに　**2**　きりで　**3**　あげく　**4**　限り

問題2 〈文の組み立て〉

次の文の ＿★＿ に入る最もよいものを1・2・3・4から一つ選びなさい。

[1] このあたりは ＿＿＿ ＿＿＿ ＿★＿ ＿＿＿ いて、住みやすい。

1 自然が　**2** にしては　**3** 都心　**4** 残って

[2] この ＿＿＿ ＿＿＿ ＿★＿ ＿＿＿ 簡単に作れます。

1 鍋さえ　**2** 料理でも　**3** どんな　**4** あれば

[3] 自分がされて嫌な ＿＿＿ ＿＿＿ ＿★＿ ＿＿＿ ではない。

1 もの　**2** ことを　**3** する　**4** 他人に

問題3 〈文章の文法〉

次の文章を読んで、文章全体の内容を考えて、[1] から [4] の中に入る最もよいものを、1・2・3・4から一つ選びなさい。

引っ越しのために荷物を整理することになったが、祖父母も両親も物が捨てられない性格で、荷物が山のようにある。私たち姉妹の子どものときの物はもちろん、両親、祖父母の子ども時代の教科書まで出てきた。

両親は古い荷物の中から思い出の品を手に取ってながめ、引っ越し [1]。さんざん昔話をした [2]、父はすべて捨てないと言い出した。思い出の品とはいう [3]、しまっておく場所もないので [4]。結局トラック1杯分の品を捨てた。父はさびしいかもしれないが、また新しい家で新しい思い出を作ってほしいと思う。

[1]
1 どころではない　**2** さえすればいい
3 かねない　**4** ということだ

[2] **1** ばかりで　**2** くせに　**3** あげく　**4** わけではなく

[3] **1** からには　**2** ものの　**3** たびに　**4** より

4	**1** 拾いようがない	**2** しまわざるを得ない
	3 捨てようがない	**4** 捨てざるを得ない

問題4〈聴解〉

1　この問題では、まず質問を聞いてください。そのあと、問題用紙の選択肢を読んでください。読む時間があります。それから話を聞いて、問題用紙の1から4の中から、最もよいものを一つ選んでください。

22

1　コンビニなどで新商品を買うこと

2　1円玉や5円玉を使わないこと

3　お金を使ったという感覚がないこと

4　使った金額をチェックしないこと

2　この問題では、問題用紙に何も印刷されていません。まず、文を聞いてください。それから、それに対する返事を聞いて、1から3の中から、最もよいものを一つ選んでください。

1　**1**　**2**　**3**　23

2　**1**　**2**　**3**　24

6 友達同士の会話 A Conversation with a Friend

苦労した5年間（1） A Tough Five Years (1)

できること

- 自分の困った状況、気持ちを友達に説明できる。
  Explain a problematic situation or feeling you have to a friend.
- 友達の状況に共感して励ますことができる。
  Sympathize with a friend's situation and offer encouragement.

25

渡辺：とうとう明日ね。初めてのプレゼン。

木山：うん。会社に入って５年、経験がなかった**ばかりに**苦労したよ。でも、自分の夢をあきらめる**ことはない**って君が言ってくれたから。

渡辺：ほんとに大変そうだったけどね。

木山：初めは同期の人**に比べて**、知識も技術も足りなかったからね。

渡辺：そう。

木山：部長に何度もやり直しさせられたけど、負ける**ものか**と思って、がんばってきたんだ。

渡辺：部長は、１日も早くあなたにプロの仕事ができるようになってほしかったのよ。それが上司**というものよ**。

48 経験がなかった**ばかりに** ★★

どう使う？

「〜ばかりに」は、「〜だけが原因で（悪い結果になってしまって残念だ）」と言いたいときに使う。

Use " 〜ばかりに " when you want to say "(it's unfortunate that things turned out badly) just because of 〜 ".

Pl ＋ ばかりに
［**なA**だな **N**だな］
*「**なA**／**N**である ＋ ばかりに」の形もある。

①本当のことを言ったばかりに、彼を怒(おこ)らせてしまった。
②背(せ)が2センチ足りないばかりに、警察官(けいさつかん)になれなかった。
③今年のリンゴは台風(たいふう)で傷(きず)がついたばかりに、市場価値(しじょうかち)が下がってしまった。
④彼は両親が有名人であるばかりに、いつもからかわれてかわいそうだ。

やってみよう！

▶答え 別冊P. 4

1）けがをして入院したばかりに、（　　　）。
　a．親友(しんゆう)の結婚式(けっこんしき)に出られなかった
　b．治療(ちりょう)を受けて元気になった
2）フリーマーケットに出店(しゅってん)したが、途中(とちゅう)で雨が降ってきたばかりに、（　　　）。
　a．すぐうちへ帰った
　b．たくさん売(う)れ残(のこ)ってしまった
3）課長(かちょう)と部長の仲(なか)が悪いばかりに、（　　　）。
　a．仕事がしにくい
　b．仲(なか)よくしてほしいものだ
4）審判(しんぱん)に抗議(こうぎ)したばかりに、（　　　）。
　a．退場(たいじょう)させられてしまった
　b．審判(しんぱん)に謝(あやま)ってしまった

☞ p.224 ～ばかり

49 あきらめる**ことはない** ★★★

どう使う？

「～ことはない」は、「～する必要(ひつよう)はない・～しなくてもいい」と言いたいときに使う。アドバイスに使うことが多い。
Use " ～ことはない " when you want to say "there's no need to do ～; you don't have to do ～ ". It is often used to give advice.

V-る ＋ ┌ことはない
　　　　　└こともない

①君が謝ることはないよ。悪いのは向こうなんだから。

②虫に刺されたくらいで病院に行くことはないよ。2、3日で治るから。

③A：先輩、面接に行くのに、かばんやコートも買わなきゃいけませんか。

B：わざわざ買うことはないよ。普段は使わないんだから、とりあえずぼくのを使ったら？

やってみよう！

▶答え 別冊P. 4

1）今回のけがはそんなに心配する・ことはありませんよ。

2）インターネットで会議をすれば・出張することはないだろう。

3）わざわざノートを貸してあげる・ことはないよ。

4）遊園地にお弁当を持っていくこ・とはないんじゃない？

・a）売店で何でも売っているんだから。

・b）サボって遊びに行ったんだから、自分で調べればいいんだよ。

・c）ただのねんざで、骨は折れていませんから。

・d）そうすれば、時間も経費も節約できるよ。

☞ p.221 ～こと

50 同期の人に比べて ★★

どう使う？

「～に比べて」は、「～より」と同じ意味で、2つ以上のものを比較し、程度の違いを言いたいときに使う。

Use " ～に比べて " when you want to compare two or more things and say how much they differ. It has the same meaning as " ～より ".

N ＋ に比べて

①いちごはレモンに比べて、ビタミンCが多いんだって。ほんとかな？

②どこの国でも田舎の人は都会の人に比べて、親切で世話好きな人が多いという印象がある。

③日本では冬は夏に比べ、2時間以上日照時間が短い。

やってみよう！

▶答え　別冊P. 4

1）日本は私の国（a．に比べて　b．に対して　c．によって）おしゃれな人が多いように思います。

2）私の国は日本（a．に比べて　b．に対して　c．によって）技術援助を要請している。

3）今年は去年（a．に比べて　b．に対して　c．によって）庭の桜の花が少ない気がする。

4）日本では季節（a．に比べて　b．に対して　c．によって）咲く花の種類が大きく変わる。

51　負けるものか　★★

どう使う？

「～ものか」は、独り言などで、「決して～しない」と自分の気持ちを強く言いたいときに使う。相手の言ったことを、「絶対～ではない・～は違う」と否定するときにも使う。話し言葉では「～もんか」「～もんですか」を使う。

Use " ～ものか " when you want to strongly state, to yourself or someone else, a feeling you have that "it's definitely not ～". You can also use it to refute what another person has said, as in "it's absolutely not ～; ～ is wrong." In colloquial speech use " ～もんか " or " ～もんですか ".

V-る / いA / なA な / N な ＋ ものか／もんか ／ ものですか／もんですか

①こんなサービスの悪い店には二度と来るもんか。

②会社が業績不振で給料が30%カットされるなんて、そんなばかなことがあるものか。

③A：ちゃんと断ったから、もう金貸してくれなんて言ってこないよね。

B：一度断られたぐらいで、あいつがあきらめるものか。きっとまた来るに決まってるよ。

④A：本当ですか。そんな話とても信じられませんよ。

B：本当ですよ。うそなんかつくもんですか。

⑤A：今度のアルバイト、それを袋に入れるだけ？ 楽そうね。

B：楽なもんか。１日に何千個も入れるんだよ。

やってみよう！

▶答え 別冊P. 4

1）A：そんなにがっかりしないで、元気出せよ。またいい人に出会うチャンスもあるよ。
　　B：失恋のつらさは、（　　　）。

2）A：どうして言う通りにしないんだ。
　　B：ぼくの気持ちをわかってくれないなら、（　　　）。

3）A：新人の木村、男のくせにちょっとしかっただけですぐ泣くんですよ。
　　B：情けない。（　　　）。

a）　お父さんの言うことなんか、聞くもんか
b）　どんなにくやしくたって、泣くものかっていう気持ちはないのかね
c）　経験のないお前にわかるものか

☞ p.224　～もの／もん

52　それが上司というものよ 

どう使う？

話者の考えを、個人的な意見ではなく一般的にそうだと言いたいときに使う。
Use this when you want to say you think that "this isn't what I think, but generally it's like this."

N ＋ というものだ

＊ Pl ［なAだ］ の場合もある。

①A：先生、山下君のせいで私たちのグループだけ、作品が完成していないんです。
　B：困ったときに助け合うのが友達というものだろ。手伝ってあげなさい。

②A：日本チーム、優勝できますよね。
　B：優勝!?　それは期待しすぎというものだろう。

③貧しくても家族が仲よく暮らせるのが幸せというものですよ。

④私が社長を批判したなんて、とんでもない。それは誤解というものですよ。

⑤どんなに大変な仕事でも、人の役に立つと思えばがんばれるというものだ。

①

☞ p.224　～もの／もん

Check

▶答え　別冊P. 4

1）今年は例年（れいねん）＿＿＿＿＿＿ 雨が少ないので、水不足（みずぶそく）が心配（しんぱい）だ。

2）A：毎日部長にしかられているおれの気持ちなんて誰（だれ）にもわかる

＿＿＿＿＿＿。

B：気にする ＿＿＿＿＿＿ よ。部長は最近機嫌（きげん）が悪いだけなんだから。

3）いいときもあるし、悪いときもある。それが人生 ＿＿＿＿＿＿。

4）12月26日に生まれた ＿＿＿＿＿＿ バースデーケーキはいつも売れ残（うれのこ）りのクリスマスケーキだった。

ことはない　　ばかりに　　に比（くら）べ　　ものか　　というものだ

48～59

友達同士の会話　A Conversation with a Friend

苦労した５年間（2）　A Tough Five Years (2)

できること

- 自分の状況や決意したことを友達に話せる。
  Talk to a friend about your situation or resolve.

26

木山：部長はぼくのことを思え**ばこそ**、厳しく言ってくれたんだよね。部長の気持ちもわから**ないことはなかった**けど、つらかったよ。

渡辺：そうね。つらそうだったね。

木山：でも、一度決めたことだから、がんばれる**だけ**がんばろうと思って…。

渡辺：そうよね。あんなに努力してたんだ**もん**。いつか認めてもらえると思ってたよ。

木山：ずっと応援してくれた君のためにも、明日は失敗する**わけにはいかない**。こうなったら自分を信じて進む**のみ**だ。ハリウッド映画のスターになった**つもり**で、最高にかっこよくプレゼンするよ。

渡辺：うん。がんばってね。

53　ぼくのことを思えばこそ　★

どう使う？

「～ばこそ」は、「～からこそ」と同じように、「～だから」という意味で、その理由を強く言いたいときに使う。

Use " ～ばこそ " just like " ～からこそ " when you want to strongly state a reason to say "because ～ ".

V-ば
なA ／ N であれば　］＋ こそ

①この山の自然を愛すればこそ、観光客の数を厳しく制限しているのです。

②日本にいればこそ、高度な研究ができるのだから、この研究の成果が出るまで帰国したくない。

③この３Ｄ映画は高度なＣＧ技術があればこそできたものだと言えます。

④親友であればこそ、お互いの欠点を指摘し合えるのだ。

☞ p.221　～こそ

54　わからないことはなかった　★★★

どう使う？

「～ないことはない」は、「絶対～だ」とはっきり言えない、自信がなくてはっきり言いたくないときに使う。

Use " ～ないことはない " when you cannot say flat out that something "absolutely is ～ " or are not confident and do not want to say something flat out.

V-~~ない~~			
いA ~~い~~く	＋	ないことはない	
なA で		ないこともない	

①Ａ：お酒、お好きですか。

　Ｂ：そんなに好きではありませんが、飲めないことはありません。

②カラオケは行かないこともないんですが、誘われたときにお付き合いで行くぐらいです。

③注射だから痛くないことはないでしょうけど、看護師さんによって痛さが全然違うんですよ。

④Ａ：このメイク、ちょっと派手すぎる？

　Ｂ：うーん。派手じゃないこともないけど、パーティーなんだから、いいんじゃない？

④

やってみよう！

▶答え 別冊P. 4

1）A：Bさん、夏はお風呂(ふろ)に入らないんですか。

B：ええ。入らないこともないですけど、普段(ふだん)はほとんど（　　　）。

a．シャワーだけですね

b．シャワーはしませんね

2）A：今、好きな人いるんでしょ？ 結婚(けっこん)は考えていないの？

B：結婚(けっこん)したくないこともないんですが、（　　　）。

a．早く相手を見つけたいですね

b．今は仕事に集中したいですね

3）A：そろそろ12時だけど、昼飯(ひるめし)、どうする？

B：腹(はら)、減(へ)ってないこともないけど（　　　）。

a．もうちょっと後でもいいよ

b．たくさん食べたいよ

☞ p.221 ～こと

55 がんばれる**だけ**がんばろう ★★

どう使う？

「食べ放題(ほうだい)だったので食べられるだけ食べた」のように、「限界(げんかい)まで～をする」と言いたいときに使う。

Use this when you want to say you "do ～ to the maximum limit" as in "食べ放題(ほうだい)だったので食べられるだけ食べた".

V-できる ＋ だけ

＊「Ⓥたい／ほしい／好きな ＋ だけ」の形もある。

①春節(しゅんせつ)を前にリンさんはお土産(みやげ)を持てるだけ持って、帰国した。

②「生」という漢字を使った言葉を書けるだけ書いてください。

③悲しいときは泣きたいだけ泣けばいいよ。

④今日とれたトマトだよ。ほしいだけ持っていっていいよ。

やってみよう！

▶答え　別冊P. 4

1）好きなものを食べたいだけ食べて、・
2）優勝はできなかったがやれるだけのことはやったから、・
3）銀行から借りられるだけ借りて、・
4）集められるだけ集めたいと思ってがんばって買っていたら、・

・a）くやしいとは思わない。
・b）980円なら安いよね。
・c）部屋中フィギュアでいっぱいになってしまった。
・d）自分の店を出した。

4）

☞ p.222　～だけ

56　努力してたんだもん　★★

どう使う？

理由の説明や言い訳を言うときに使う。「もの」は主に女性が使う言葉。
Use this when you explain a reason or give an excuse. " もの " is a word used mainly by females.

Pl ＋ もん

＊ **Po** も使われることがある。

①A：そんなにたくさんお土産買うの？
　B：だって、この人形もこのお菓子も日本じゃなきゃ、買えないんだもん。

②A：ミュージカル見たいんだけど、チケット、なかなか買えないんだよね。
　B：そうか。あのミュージカル、人気あるもんね。

③課長は明日の会議でこの企画を通したいって言うけど、簡単には決まりっこないよ。まだ問題がたくさんあるもん。

④A：表計算は式を入れればすぐできるのに…。
　B：自分で計算したほうが早いんですもの。

④

48 ～ 59

やってみよう！

▶答え　別冊P. 4

1）A：パン、5つも買ったの？

B：(　　　)。

2）A：6時なのに、帰らないの？

B：(　　　)。

3）A：なんでメールしたのに返事くれなかったの？

B：(　　　)。

4）A：インフルエンザ、流行(はや)ってるね。

B：(　　　)。

a．だって全然(ぜんぜん)気がつかなかったんだもん
b．私は大丈夫、予防注射(よぼうちゅうしゃ)したもん
c．この仕事、課長(かちょう)に今日中にって頼(たの)まれちゃったんだもん
d．だって腹減(はらへ)ってるんだもん

☞ p.224　～もの／もん

57　失敗(しっぱい)するわけにはいかない　★★★

どう使う？

「休むわけにはいかない」のように、「理由があってできない」と言いたいときに使う。また、「働かないわけにはいかない」のように、「しなければならない」と言いたいときにも使う。

Use this when you want to say "there's a reason I can't" as in "休むわけにはいかない". In addition, you can also use it when you want to say "I have to" as in "働かないわけにはいかない".

V-る／**V-ない**　＋　わけにはいかない

①A：Bさん、顔色(かおいろ)悪いよ。今日は無理(むり)しないで早退(そうたい)したら？

B：でも、午後から大事な会議があるから、帰るわけにはいかなくて…。

②A：今から飛行機(ひこうき)の予約は無理(むり)ですよ。

B：そこをなんとか。取引先(とりひきさき)でシステムトラブルがあって、私が行かないわけにはいかないんですよ。

③A：今日は私がおごるよ。

B：いえ、とんでもない。今日はおごっていただくわけにはいきません。先輩のお祝いですから、ぼくたちが出します。

やってみよう！

▶答え　別冊P. 4

1）明日は朝一で会議があるので寝坊する（a．わけにはいかない　b．わけではない）。

2）見たい番組がある（a．わけにはいかない　b．わけではない）が、いつもテレビをつけてしまう。

3）駐車違反をしてしまったので、罰金を払わない（a．わけにはいかない　b．わけではない）。給料日前なのに、つらいなあ…。

☞ p.226　～わけ

58　自分を信じて進むのみだ

どう使う？

「～のみ」は、「～だけ」と言いたいときに使う。お知らせなどによく使われる。
Use " ～のみ " when you want to say "only / just." It is often used in announcements and the like.

V-る / N ］＋ のみ

＊「ただ～のみ」という言い方もある。

①お薬のみご希望の方は、こちらの箱に診察券をお入れください。

②申し込みは郵送のみの受け付けとなります。

③太枠内のみご記入ください。

④するべきことはすべてした。あとはただ結果を待つのみだ。

☞ p.224　～のみ

59　スターになったつもりで

どう使う？

「本当はそうではないが、そのような気持ちになって」と言いたいときに使う。
Use this when you want to say "it's not really like that, but I've come to feel it is."

V-た
いA
なA な
N の
+ つもり

①旅行に行ったつもりで、この「列車の旅」のDVDを見て、楽しみましょう。
②娘は体験学習の際に、お母さんになったつもりで赤ちゃんのお世話をしたそうだ。
③いつまでも若いつもりで徹夜してると体を壊すよ。
④ヘルパーさんは、本当の家族のつもりでお年寄りの世話をしていると言っていた。

やってみよう！

▶答え 別冊P. 4

1）遊園地に行ったら、 ・
2）専門学校のファッションショーのとき先生に、 ・
3）練習のときは試合のつもりで気合を入れて、 ・
4）妹はテレビを見ながら、 ・

・a）人気歌手になったつもりで歌いながら踊っている。
・b）モデルになったつもりで、胸を張って歩きましょうと言われた。
・c）子どもに戻ったつもりで楽しんだほうがいいよ。
・d）試合のときは練習のつもりでリラックスしていこう！

☞ p.223 ～つもり

▶答え 別冊P. 5

1）この仕事、もう少し条件をよくしてもらえれば、引き受け ＿＿＿＿＿＿ んですが…。

2）A：カメラ、これでいいかな？

B：えー！ 野鳥を撮るんだ ＿＿＿＿＿＿。もっといいカメラじゃなきゃだめよ。

3）いくら疲れていても、この仕事が終わるまでは帰る ＿＿＿＿＿＿。

4）この袋に詰められる ＿＿＿＿＿＿ つめて200円ですから、お買い得ですよ。

5）今日は皆さん政治家になった ＿＿＿＿＿＿ で、討論しましょう。

6）お前の将来を考えれば ＿＿＿＿＿＿、留学を許したのだ。しっかり勉強しろ。

7）連絡先などに変更がある場合 ＿＿＿＿＿＿、このはがきをご返送ください。

わけにはいかない　　もの　　のみ　　ないこともない　　つもり　　だけ　　こそ

48 ～ 59

まとめの問題 Review questions

▶答え　別冊P.13

問題１〈文法形式（ぶんぽうけいしき）の判断（はんだん）〉

次の文の（　　）に入れるのに最もよいものを１・２・３・４から一つ選びなさい。

1　卒業論文（ろんぶん）が間に合わなかった（　　　）、卒業が半年遅れてしまった。

1　ばかりに　　**2**　からには　　**3**　ものの　　**4**　にもかかわらず

2　来週の焼き肉パーティーは参加費（さんかひ）500円で（　　　）食べられますから、皆さん参加（さんか）してください。

1　好きだから　　**2**　好きなのに　　**3**　好きなだけ　　**4**　好きなくらい

3　A：加藤（かとう）君のお父さん、優（やさ）しそうだよね。
B：優（やさ）しい（　　　）。いつも怒（おこ）ってばかりいるよ。

1　ことか　　**2**　ことだ　　**3**　もんか　　**4**　ものだ

4　A：午後から取引先（とりひきさき）との打ち合わせですから、もう出かけたほうがいいんじゃないですか。
B：まだ時間はありますから、急ぐ（　　　）よ。

1　どころではありません　　**2**　わけにはいきません
3　おそれがあります　　**4**　ことはありません

5　A：来週の同窓会（どうそうかい）、行くでしょ？
B：ごめん。ゼミの合宿（がっしゅく）があって、休む（　　　）んだ。

1　わけではない　　**2**　ものではない
3　わけにはいかない　　**4**　ことはない

6　A：この川、以前に（　　　）、ずいぶんきれいになりましたね。
B：ええ。町の人たちが毎週掃除（そうじ）していますからねえ。

1　応（おう）じて　　**2**　つれて　　**3**　わたって　　**4**　比（くら）べて

問題2 〈文の組み立て〉

次の文の ★ に入る最もよいものを1・2・3・4から一つ選びなさい。

1 注意書きを ＿＿ ＿＿ ★ ＿＿ 受け付けてもらえなかった。

1 書類が　　2 ばかりに

3 見落としていた　　4 足りなくて

2 野菜や果物に ＿＿ ＿＿ ★ ＿＿ 減っているのをご存知ですか。

1 ビタミンが　2 昔　3 含まれる　4 に比べて

3 話し上手になるには、＿＿ ＿＿ ★ ＿＿ 話をよく聞き、情報を得て、話題を増やしましょう。

1 人の　2 なった　3 レポーターに　4 つもりで

問題3 〈読解〉

次の文章を読んで問題に答えなさい。後の問いに対する答えとして最もよいものを、1・2・3・4から一つ選びなさい。

日本製品は国際的な価格競争の中で苦境に立たされている。しかし競争できないとあきらめるわけにはいかないし、悲観してはいられない。それでは日本のビジネスが世界的に発展する道はどこにあるのだろうか。ビジネス成功のポイントは、ただ消費者のニーズを追求することのみだ。

今、ヨーロッパでは日本の警備会社が人気を集めている。セキュリティーシステムに問題がないか常にチェックし、警報器が鳴ったら、すぐ担当者が駆けつけ、状況を把握して客に連絡する。日本では当たり前のこのサービスがヨーロッパで高く評価されているという。「セキュリティーがしっかりしていなかったばかりに、大きな被害に遭った」と後悔するより、料金は少し高くても、頼れる会社に任せようというニーズがあったからと言える。日本では当然のことだが海外では高く評価される、それこそが国際競争力を持つ商品というものだ。

1 日本の警備会社が人気がある一番の理由は何ですか。

1 セキュリティーシステムをチェックしてくれるから
2 いつでもチェックしていて、すぐ問題に対応してくれるから
3 料金が少し高いから
4 安心して警備を任せられないから

2 筆者が最も言いたいことは何ですか。

1 国際的な経済競争が激しくなっていること
2 日本製品が外国製品に比べて、値段が高くなったこと
3 日本の警備会社がヨーロッパで人気を集めていること
4 消費者のニーズを追求することが、世界市場で勝つということ

問題4〈聴解〉

1 この問題では、まず質問を聞いてください。そのあと、問題用紙の選択肢を読んでください。読む時間があります。それから話を聞いて、問題用紙の1から4の中から、最もよいものを一つ選んでください。

1 1 自然の環境を作ること 2 水槽に水草を入れること 27
3 メダカのストレスをなくすこと 4 毎日世話をすること

2 1 アルバイトを休んだ 2 アルバイトをした 28
3 熱を出して寝ていた 4 用事があって帰った

2 この問題では、問題用紙に何も印刷されていません。まず、文を聞いてください。それから、それに対する返事を聞いて、1から3の中から、最もよいものを一つ選んでください。

1 1 2 3 29

2 1 2 3 30

3 1 2 3 31

7 論説文を読む Reading an Essay

オオカミと生態系（1） Wolves and the Ecosystem (1)

できること

- レポートや論説文の、これまでの経緯や状況の説明が理解できる。
  Understand an explanation about the background and situation of a topic described in a report or essay.

32

　皆さんはオオカミに対してどんなイメージを持っているだろうか。人間の立場**から見ると**、オオカミは牛などの家畜を襲う敵だ。このイメージから、物語などでもオオカミは悪く書かれることが多かった。

　しかし、その**一方**で、オオカミはシカなどの草食動物が増えすぎるのを防ぎ、自然のバランスを守る役割も果たしてきたのである。アメリカのイエローストーン国立公園では、オオカミが殺され、絶滅した**ことから**、その食料となっていた大型のシカが急増した。増えすぎたシカは、植物に大きな被害を与えた**のみならず**、ネズミやビーバー**といった**小動物の数も減少させた。シカの数が増える**にしたがって**、食べ物や住む場所が減り、生きていけなくなったからだ。

60〜72

60 人間の立場から見ると ★★★

どう使う？

「〜から見る」は、「専門家から見ると」「価格の面から見ると」「データから見て」のように、「〜」の立場、視点、判断材料から考えたことを言うときに使う。

Use "〜から見る" when you state an idea based on the position, perspective or criterion of "〜" as in "専門家から見ると", "価格の面から見ると" and "データから見て".

N ＋ から見ると／から見れば／から見て

①便利さという点から見ると、やはり田舎より都会のほうが暮らしやすい。
②けんかの原因なんて、第三者から見れば、くだらないことが多い。
③現在の経営状態から見て、四葉商事の再建には時間がかかりそうだ。
④彼は、能力、人柄、その他すべての点から見て、プロジェクトリーダーに適任だ。

やってみよう！

▶答え 別冊P. 5

1）加藤さんは60歳（a．から見ると　b．にしては）若く見える。
2）どこの国にも外国人（a．から見れば　b．にしては）不思議だと思うような習慣があるだろう。
3）このおもちゃは人気があるが、安全性の点（a．から見ると　b．にしては）問題があるようだ。
4）彼は今年入社したばかりだが、新入社員（a．から見れば　b．にしては）仕事ができて頼もしい。

Plus

～からいうと／～からいえば／～からいって

①社員の立場からいうと、給料は高ければ高いほどいいが、高い給料をもらうにはそれなりの成果が要求されることを忘れてはいけない。
②品質からいえばオレンジ社の製品がいいんですが、値段からいうとイルスン社のほうがリーズナブルですね。
③実力からいって今回もアメリカが優勝するでしょう。

～からすると／～からすれば／～からして ★★★

①彼の考え方からすると、どんなアイデアも実行できなければ無駄だということになる。

②患者の立場からすれば、たとえたいした病気じゃなくても、病状を詳しく説明してほしいと思う。

③目撃者の証言からすると、犯人は複数のようだ。

④故障の程度からして、このパソコンはもう買い換えたほうがいいでしょう。

☞ p.220 ～から

61 その一方で

どう使う？

「行列ができる店がある一方、まったく客が入らない店もある」のように、１つのことに関して、大きく違う状況があることを説明するときに使う。

Use this when you explain that one thing can be in very different situations as in " 行列ができる店がある一方、まったく客が入らない店もある ".

Pl ＋ 一方

［なA だな　N だの］

＊「なA／N である ＋ 一方」という形も使われる。

①仕事を求めて都会に出る若者がいる一方、故郷に戻って就職する若者もいる。

②動物園は入場者を楽しませる工夫をする一方、動物にストレスを与えないように気をつけている。

③円高は輸入業者には有利である一方、輸出の低迷をもたらす要因ともなる。

④インターネットの普及で、簡単に情報が手に入るようになった。しかしその一方で、個人情報の流出という問題も出てきた。

⑤東南鉄道が17億円の黒字だった一方で、西北鉄道は20億円の赤字だったそうだ。

☞ p.220 ～一方

やってみよう！

▶答え 別冊P. 5

1）みどり市では工場誘致を喜ぶ市民がいる一方、・

2）大都市で人口が増加する一方、・

3）長年１つの仕事を続けて成果を上げる人がいる一方、・

4）彼は俳優として活躍する一方、・

・a）人口減少が進む地域もあり、政府は対策を検討している。

・b）最近は映画監督としても注目されている。

・c）環境保護の立場から慎重に考えるべきだという意見もある。

・d）転職から多くの経験を得て才能を伸ばす人もいる。

62 絶滅したことから ★★

どう使う？

物や土地がその名前になった理由や、何かを判断した理由や、そうなった原因を言いたいときに使う。

Use this when you want to give the reason for why a thing or land got its name, why a judgment was made, or the factors behind why something came to be.

Pl ＋ ことから

［なAだな NだX］

＊「なA／Nである ＋ ことから」の形もある。

①このサツマイモは中が赤いことから、紅イモと呼ばれています。

②この坂は桜並木になっていることから、桜坂という名前になったそうだ。

③チンパンジーは道具が使えることから、人間に最も近いと考えられている。

④山梨はブドウの栽培に適していることから、ワイン作りが盛んだ。

⑤この村では、坂道が多く高齢者が買い物に出るのが困難であることから、スーパーが送迎バスを運行しているそうだ。

☞ p.221 ～こと

やってみよう！

▶答え 別冊P. 5

1）彼は暗算が苦手だったことから ・

2）台所の窓が割れていることから、・

3）沖縄は昔、独立した1つの国だったことから ・

4）お隣の田中さんはいろいろなものを発明していることから ・

・a）犯人はそこから侵入したと思われます。

・b）下町のエジソンと呼ばれている。

・c）電卓を作ろうと思ったそうだ。

・d）独自の文化や言葉が今でも残っている。

3）

63 被害を与えたのみならず

どう使う？

「〜のみならず」は、「〜だけでなく」と同じように使う。

Pl ＋ のみならず

［なAだ Nだ］

＊「なA／Nである ＋ のみならず」の形もある。

＊「ただ〜のみならず」「ひとり〜のみならず」という言い方もある。

①現在、日本のコンビニは若者のみならず、あらゆる世代の人々に様々な目的で利用されている。

②難民問題は人道的な問題であるのみならず、近隣諸国にも影響を及ぼす政治的な側面もある。

③多くの人に愛され続けてきたブランド品はただデザインが美しいのみならず、機能的にも優れているものが多い。

④彼は戦争で家族を失った子どもたちを引き取って育てたのみならず、その子どもたちが自立して暮らせるように教育を受けさせたという。

やってみよう！

▶答え 別冊P. 5

1）信頼される上司とは、能力が高く経験が豊富であるのみならず、（　　　）。

　a．部下の意見に耳を傾けることもできる人だ

　b．部下の意見を聞かないで、自分の考えで仕事をする人だ

2）朝日電子の新製品はシェアを独占したのみならず、（　　　）。

　a．売り上げを伸ばさなければならない

　b．会社のイメージアップにも貢献した

3）豆腐は今やアジアの国のみならず、（　　　）。

　a．世界中で人気がある食品と言える

　b．いろいろな料理に使える

4）被災地には、国内のみならず（　　　）。

　a．海外からも多くの支援が寄せられた

　b．まだ危険があると言われている

☞ p.224 〜のみ

64 ネズミやビーバーといった ★

どう使う？

代表的な例をあげて説明するときの言い方で、「〜など」と同じ意味を表す。
This expresses the same meaning as " 〜など " by giving an explanation with typical examples.

N ＋ といった

①くるみやアーモンドといったナッツ類を毎日食べると、記憶力がよくなるそうです。
②仏教は、中国、日本、韓国、タイといったアジアの国で広く信仰されている。
③夜食は、おかゆやうどんといった消化のいい食べ物にしたほうがいいでしょう。
④ヨガやストレッチといった運動は、少しずつでも続ければ、効果が現れます。

65 数が増えるにしたがって ★★★

どう使う？

「〜にしたがって」は、「〜の変化に合わせて、ほかのことも変化する」と言いたいときに使う。
「〜にあわせて」と言いたいときにも使う。

Use " ～にしたがって " when you want to say "something else changes along with a change in ～ ". You can also use it when you want to say "in concert with ～ ".

V-る / **N** ＋ にしたがって / にしたがい

①暑くなるにしたがって、体調を崩す人が増えた。

②ライフスタイルの変化にしたがい、日本人の食生活も変わった。

③わが国でも自動車の普及にしたがい、道路の整備が必要になってきた。

④この商品は安全基準にしたがって作られています。

やってみよう！

▶答え 別冊P. 5

1）先生のアドバイスにしたがって、

（a．レポートを書き直した　b．難しいレポートだった）。

2）高い山では頂上に近づくにしたがって、（a．寒い　b．気温が下がる）。

3）交通手段の進歩にしたがい、人々の移動距離は

（a．大きく伸びた　b．以前より長い）。

4）この地域では人口が増えるにしたがって、土地の値段が（a．高い　b．上昇した）そうだ。

Plus

～につれて／～につれ

「**V-る** ＋ につれて／につれ」も、「～」と一緒に変化することを表す。

①留学生活が長くなるにつれて、国のことを思い出すことが少なくなったような気がする。

②彼は年を取るにつれ、周囲の人と交流することが少なくなっていった。

③謝ろうと思ったが、時間がたつにつれて、言い出しにくくなってしまった。

▶答え 別冊P. 5

1）不景気で倒産する企業がある ＿＿＿＿＿＿、優れた技術で世界的なシェアを持つに至った企業もある。

2）事故の調査が進む ＿＿＿＿＿＿ 多くの問題点があったことがわかってきた。

3）山本選手のファインプレーに、彼のファン ＿＿＿＿＿＿ 相手チームのファンからも拍手が送られた。

4）この場所は映画の撮影で使われた ＿＿＿＿＿＿、記念撮影の人気スポットとなった。

5）日本人が冷たいお弁当をおいしそうに食べているのは、外国人の私 ＿＿＿＿＿＿ 信じられないことだ。

6）電車やバス、フェリー ＿＿＿＿＿＿ 交通機関では、学割を利用することで切符や定期券を安く買うことができる。

から見ると	ことから	のみならず
にしたがって	といった	一方

7 論説文を読む　Reading an Essay

オオカミと生態系（2）　Wolves and the Ecosystem (2)

できること

- レポートや論説文の説明が理解できる。
  Understand an explanation in a report or essay.

33

そこで、国立公園にオオカミを戻そうという取り組みが始まった。オオカミの復活により生態系を回復させ**得る**と考えたのだ。しかし生物学者の期待**に反して**、この計画はすぐには実行されなかった。野生のオオカミを連れてくること**に関して**は、成果が期待される**反面**、家畜の被害のおそれもあるため、理論**上**は有効だとわかっていても、受け入れにくいことだったからだ。

20年以上の時間をかけて話し合いを続けた結果、1995年、ついにオオカミが放された。その後、オオカミがシカを食料として順調に数を増やした結果、一時は激減したその他の動植物も、徐々に増加し**つつある**ことが報告されている。

同じような取り組みはアメリカ**に限らず**、ヨーロッパでも検討されている。慎重に意見交換を続けながら、自然のバランスをとっていくことになるだろう。

こうした意識の変化にともない、オオカミに対する悪いイメージも過去のものになっていくかもしれない。

66　回復させ得る

どう使う？

「～得る／～得る」は、「～ができる・可能性がある」と言うときに使い、「～得ない」は「～できない・可能性がない」と言うときに使う。論文などでよく使う。

Use " ～得る／～得る " when you say "there is a possibility that I can ～ ", and use " ～得ない " when you say "I can't ～ ; there is no possibility." This is often used in essays and the like.

V-~~ます~~ ＋ 得る／得る
　　　　　 得ない

＊「考える・想像する・ある・知る・予測する・解決する・理解する」などと一緒に使われる。

①凶器がどこにあるか、考え得る場所はすべて捜したが、まったく手がかりがつかめなかった。

②普通の人が宇宙へ行ける日が来るなんて、100年前には想像し得なかったことだ。

③マーケティング調査の結果によっては、発売時期の変更もあり得る。

④犯人しか知り得ない情報を、彼は知っていた。

⑤A：おれ、内定取り消しだって。ありえないよな。

　B：えー！　うそでしょ？

＊「ありえない」は信じられないという気持ちで、会話でよく使われる。
"ありえない" is often used in conversation to say that something is unbelievable.

☞ p.220　～得る／得る

67　期待に反して

どう使う？

「予想したことや期待したことと反対の結果や状態になった」と言いたいときに使う。

Use this when you want to say "the result or situation has become opposite of what was predicted or expected."

N ＋ に反して
　　 に反し
　　 に反する ＋ N
　　 に反した

＊「予想・期待・意向」などと一緒に使われる。

①今回の経済政策は国民の期待に反して、まったく効果がなかった。

②彼は、親の意向に反して、戦場カメラマンになった。

③実験結果は予想に反するものだったので、関係者はがっかりした様子だった。

④手作りにこだわってきた店主の意に反することだが、人件費削減のため、機械化せざるを得ない状況になってきた。

やってみよう！

▶答え 別冊P. 5

1）Aチームは予想（a. に反して b. に反した）決勝戦まで進んだ。

2）今回の統一地方選挙は開票前の予測（a. に反して b. に反する）結果に終わった。

3）労働者の意思（a. に反して b. に反する）雇用者が労働を強制することはできない。

68 連れてくることに関して ★★★

どう使う？

「～について」と同じように、話題にしたり、調べたりする内容を言うときに使う。調査や研究、通知などでよく使う。

Just like " ～について ", use this when you introduce a topic or say what someone is investigating. This is often used in surveys, research, notifications and the like.

N ＋ ［ に関して / に関する ＋ N ］

①修理に関するお問い合わせはサービスセンターまでお電話かメールでご連絡ください。

②危険物の取り扱いに関しては細心の注意を払う必要がある。

③今回は子どもたちの学力だけでなく体力に関しても調査が行われることになった。

④友人は地震の予知に関して研究論文を書いたそうだ。

やってみよう！

▶答え 別冊P. 5

1）日程など試合（a. に関して b. に関する）情報は、ホームページをご覧ください。

2）若者のインターネットの利用（a. に関して b. に関する）大学でアンケートを行った。

3）その件（a. に関しては b. に関する）後日メールでご案内いたします。

69 成果が期待される反面 

どう使う？

あることに関して、2つの反対の面や視点があることを説明するときに使う。
Use this when you explain that there are two aspects or perspectives pertaining to something.

Pl ＋ 反面／半面

［なAだな　Nだ］

＊「なA／Nである ＋ 反面」の形もある。

①来日前は留学に期待する反面、不安も大きかった。

②IT機器は多機能化が進んで、便利な反面、操作が複雑すぎて使いこなせない人が増えている。

③高層マンションは設備がよくて快適に生活できる反面、一度停電すると設備がまったく使えなくなるという問題もある。

④木製や紙製の植木鉢は通気性に優れている反面、乾燥しやすいという欠点もある。

⑤国民の長寿は喜ばしい反面、国の財政負担が増えるという問題もある。

70 理論上は ★★

どう使う？

「～上」は、「～の点から考えて」という意味で、視点を示す言葉と一緒に使う。
Use " ～上 " together with words that show a perspective to mean "in view of ～ ".

N ＋ 上

＊「理論・職業・教育・法律・歴史・表面」などの言葉と一緒に使われる。

①お札にはその国の歴史上の人物の顔が描かれていることが多い。

②スポーツは、子どもにとって健康上はもちろん、教育上もいい点がたくさんある。

③あの２人は表面上は親しそうに見えるけど、本当はあまり仲がよくないんだ。

④「ペーパーカンパニー」とは、書類上は存在するが経営実態のない会社のことである。

やってみよう！

▶答え　別冊P. 5

1）新エネルギーの開発は ＿＿＿＿ は可能だが、その実用化には課題も多い。

2）弁護士や医師は ＿＿＿＿ 人の秘密を知っても、それを他人に話してはならない。

3）高校進学率が90％を超え、＿＿＿＿ 義務教育のような位置づけになっている。

4）インターネットには、子どもの ＿＿＿＿ よくないと思われるサイトが数多くある。

事実上	理論上	教育上	職業上

☞ p.220　～上／上

71　増加しつつある

どう使う？

「日本の人口は減りつつある」のように少しずつ変化していると説明するときに使う。
Use this to explain that something is changing little by little as in "日本の人口は減りつつある".

V-~~ます~~ ＋ つつある

①異常気象の影響が世界各地に広がりつつある。

②社会の高齢化にともない、犯罪者の高齢化も進みつつある。

③世界規模での人口移動が進みつつある現在、共生の意識がますます必要になっている。

④日本銀行は、国内の景気について、緩やかに回復しつつあると発表した。

やってみよう！

▶答え　別冊P. 5

1）ランナーは夕日の中をゴールに向かって（a．走っている　b．走りつつある）。

2）私が弁当を（a．食べている　b．食べつつある）ところへ上司が来て、緊急の仕事を頼まれた。

3）私たちには、（a．失われている　b．失われつつある）自然を守る義務がある。

4）国王の病気は（a．回復している　b．回復しつつある）が、まだ入院治療が必要だそうだ。

☞ p.223　～つつ

72 アメリカに限(かぎ)らず ★★

どう使う？

「～に限(かぎ)らず」は、「～だけでなく、ほかにも」と言いたいときに使う。
Use "～に限(かぎ)らず" when you want to say "not just ～, but also something else."

N + に限(かぎ)らず

①環境対策(かんきょうたいさく)のためにも、夏に限(かぎ)らず、年間(ねんかん)を通して節電(せつでん)を心がけるべきだ。
②水の問題は特定(とくてい)の地域(ちいき)に限(かぎ)らず、世界的な問題になるだろう。
③車に限(かぎ)らず、自転車でもぶつかったら大(おお)けがをしますから注意してください。
④電化製品(でんかせいひん)に限(かぎ)らず、あらゆる分野(ぶんや)で新製品(しんせいひん)の開発競争(かいはつきょうそう)が行(おこな)われています。

やってみよう！

▶答え 別冊P. 5

1）生活習慣病(しゅうかんびょう)は、人間（a. に限(かぎ)らず　b. を問(と)わず）犬や猫(ねこ)などのペットにも見られる。
2）車で出かけたが、渋滞(じゅうたい)して、すぐ近く（a. に限(かぎ)らず　b. にもかかわらず）1時間もかかってしまった。
3）経済学(けいざいがく)の加藤(かとう)先生は、経済(けいざい)（a. に限(かぎ)らず　b. において）歴史(れきし)や文化にも詳(くわ)しい。
4）スポーツ（a. に限(かぎ)らず　b. にしたがって）どのような集団(しゅうだん)でも、それぞれの力を生(い)かすことが重要(じゅうよう)だ。

☞ p.223　～に限(かぎ)る／限(かぎ)り

Check

▶答え 別冊P. 5

1）「今年こそ優勝を」という関係者の期待 ＿＿＿＿＿、チームは1回戦で負けてしまった。

2）契約 ＿＿＿＿＿、引っ越す場合は1か月前までに伝えることになっている。

3）野外イベントは天候によっては中止もあり ＿＿＿＿＿。

4）警察は連続放火事件 ＿＿＿＿＿ 有力な情報をつかんだ。

5）わが国の産業は現在発展し ＿＿＿＿＿。10年後が楽しみだ。

6）アクリルはガラスと比べて軽く衝撃に強い ＿＿＿＿＿、表面に傷がついて透明度が下がりやすい。

7）がん ＿＿＿＿＿、病気の治療には早期発見が大事だ。

つつある	得る	に限らず	に関する	上
反面	に反して			

まとめの問題 Review questions

▶答え 別冊P.14

問題1 〈文法形式の判断〉

次の文の（　　　）に入れるのに最も良いものを1・2・3・4から一つ選びなさい。

1 今回のマラソンは大方の予想（　　　）、初出場の無名のランナーが優勝した。

1 に関して　**2** に反して　**3** のみならず　**4** からいうと

2 このデータ（　　　）男性のほうが女性より甘い飲み物を好む傾向があることがわかります。

1 から見ると　**2** に関して　**3** にしたがって　**4** のみならず

3 立場（　　　）、寮長の私が当番をサボるわけにはいかないんです。

1 において　**2** に反して　**3** 上　**4** に関して

4 今回の遺跡の発掘によって、古代文明の謎が明らかになり（　　　）。

1 つつある　**2** かねない　**3** 得ない　**4** っぽい

5 ペンギンは子どものときは灰色ですが、成長する（　　　）黒くなります。

1 にしたがって　**2** どころか　**3** ものの　**4** だけ

6 区民祭り（　　　）お問い合わせは、下記事務局にお願いいたします。

1 からいうと　**2** に限る　**3** に関する　**4** にわたる

7 当学会は、研究者や専門家（　　　）、企業や個人の方々にも広く開かれた学会です。

1 に反して　**2** に比べて　**3** のみならず　**4** にもかかわらず

8 料理研究家の栗林さんは独創的な創作料理を発表する（　　　）、各地の伝統的な郷土料理の研究もされています。

1 一方　**2** 次第　**3** 際　**4** 限り

9　グレープフルーツは木になっている様子がブドウに似ている（　　　）、その名前がついたそうだ。

1　のみならず　　**2**　ことから

3　にもかかわらず　　**4**　ものの

問題2〈文の組み立て〉

次の文の＿★＿に入る最もよいものを１・２・３・４から一つ選びなさい。

1　駅では ＿＿＿ ＿＿＿ ＿★＿ ＿＿＿ 数を少なくしている。

1　上の　**2**　ごみ箱の　**3**　防犯　**4**　理由から

2　健康面のみならず、仕事の能率という点からも、
＿＿＿ ＿＿＿ ＿★＿ ＿＿＿ はいいことだと思う。

1　生活習慣が　**2**　の　**3**　見直されつつある　**4**　早起きの

3　パンダは ＿＿＿ ＿＿＿ ＿★＿ ＿＿＿ 一面がある。

1　凶暴な　**2**　に反して　**3**　イメージ　**4**　外見の

4　事件への関与を疑われている女優は、
その件 ＿＿＿ ＿＿＿ ＿★＿ ＿＿＿ 発表した。

1　一切知らない　**2**　に関しては　**3**　コメントを　**4**　という

5　練習の苦しさも時間が ＿＿＿ ＿＿＿ ＿★＿ ＿＿＿ 変わっていった。

1　楽しい　**2**　思い出に　**3**　たつ　**4**　につれて

問題3 〈文章の文法〉

次の文章を読んで、文章全体の内容を考えて、[1] から [6] の中に入る最もよいものを、1・2・3・4から一つ選びなさい。

科学技術が進み、知識という側面 [1] 、昔よりはるかに多くのことがわかるようになった。宇宙 [2] 様々な事実が明らかになってきた。

例えば、昔はブラックホールの存在さえわからなかったが、天体観測などの技術が進んだ [3] 、その存在がわかった。さらに、調査が進む [4] 、ブラックホールはただそこに存在する [5] 、膨張していることも、明らかになってきた。

しかし、様々な事実が明らかになる [6] 、ブラックホールとは何なのか、なぜ存在するのか、膨張し続けたらどうなるのか、さらなる疑問がわいてくる。

これまでは知識を得ることによって、すべてがわかると期待されていた。しかし科学者たちが日々研究を続けているにもかかわらず、宇宙の謎は深まるばかりである。

[1]　1 から見ると　2 からといって　3 につれて　4 に応じて

[2]　1 につれて　2 ばかりで　3 に関しても　4 のみならず

[3]　1 反面　2 ことから　3 ばかりに　4 ものの

[4]　1 ことから　2 にしては　3 一方で　4 にしたがって

[5]　1 限り　2 のみならず　3 にもかかわらず　4 につれて

[6]　1 一方で　2 ことから　3 際　4 からには

問題4〈聴解〉

1　この問題では、問題用紙に何も印刷されていません。この問題は、全体としてどんな内容かを聞く問題です。話の前に質問はありません。まず話を聞いてください。それから、質問と選択肢を聞いて、1から4の中から、最も よいものを一つ選んでください。

1　2　3　4　　34

2　この問題では、まず話を聞いてください。それから二つの質問を聞いて、それぞれ問題用紙の1から4の中から、最もよいものを一つ選んでください。

[1]　　35

1　朝、ベッドの中で

2　朝、起きてすぐ

3　夜、寝る前

4　夜、寝ている間

[2]

1　これからは朝早く勉強することにした

2　これからも夜、勉強することにした

3　朝も夜も勉強することにした

4　勉強しないことにした

3　この問題では、問題用紙に何も印刷されていません。まず、文を聞いてください。それから、それに対する返事を聞いて、1から3の中から、最もよいものを一つ選んでください。

[1]　**1　2　3**　　36

[2]　**1　2　3**　　37

8 ビジネス場面の会話 Conversation in a Business Setting

取引先で At a Client

できること

●ビジネス場面で社外の人との簡単な受け答えができる。
Give simple responses in a business setting to people not from your company.

38

加藤：田中さん、安田製作所の佐々木様が**お見えになりました**。

佐々木：本日はご依頼のサンプルを持ってまいりました。

田中：あ、わざわざありがとうございます。

佐々木：前回、ご希望を承りましたので、それに合わせて作り直しをさせていただきました。**ご**確認**願えます**でしょうか。

田中：はい、わかりました。

佐々木：よろしくお願いいたします。それから、これは前回拝借した資料と、サンプルに関する資料でございます。

田中：ああ、どうも。お手数をおかけしました。

佐々木：今度お時間がありましたら、ぜひ当社の工場へお越しになってください。新しい機械もご覧いただきながら、**ご**説明**申し上げ**たいと思いますので…。

田中：ええ、私も一度伺いたいと思っておりました。

佐々木：お待ちしております。おいでくださるときは、ご連絡いただけれ**ばと思います**。私がご案内させていただきますので…。

田中：ありがとうございます。じゃ、日程**につきまして**は、後ほど…。

73 佐々木様がお見えになりました ★★

どう使う？

ビジネスなどの場面では、下の表のような特別な敬語の言葉も使われる。
The following kinds of special honorific words in the tables below are also used in business and other settings.

意 味	尊敬語
来る	お見えになる ＊1 お越しになる ＊2
行く・来る・いる	おいでになる ＊3
Vている	Vておいでになる

＊1「お見えです」も使われる。
＊2「お越しの方」「お越しです」「お越しいただく／くださる」「お越しください」などの使い方もある。
＊3「おいでの際」「おいでです」「おいでいただく／くださる」「おいでください」などの使い方もある。

意 味	謙譲語
見せる	ご覧に入れる
聞く・引き受ける	承る
借りる	拝借する
思う（知っている）	存じる
伝言する	申し伝える
Vていく・Vてくる	Vてまいる

①横浜からお越しの大山様、佐藤様がお待ちですので、１階の受付までお越しください。

②本日のご予約は山本が承りました。ありがとうございました。

③この資料、長い間拝借したままお返しもせず、たいへん申し訳ありませんでした。

④A：こちらまで、お車でおいでになりましたか。
　B：いいえ、電車でまいりました。

⑤A：休みの日はいつも何をしておいでになりますか。
　B：趣味のゴルフをしております。

⑥田中はただ今、席を外しておりますので、後ほどこちらからご連絡するように申し伝えます。

やってみよう！

▶答え 別冊P. 6

1）ただ今から皆様に（a．ご覧に入れます　b．お目にかかります）のは、イルカのショーでございます。

2）プレゼント用のラッピングは、あちらのカウンターで（a．申して　b．承って）おります。

3）この資料をコピーして（a．まいります　b．おいでになります）ので、少々お待ちください。

4）こちらの商品はきっとご満足いただけると（a．存じます　b．ご存じです）。

74 ご確認願えますでしょうか 

どう使う？

「お／ご～願います」は、「お／ご～いただく／ください」と同じ意味で、ビジネス場面などで相手に丁寧に頼むときに使われる。

"お／ご～願います" is used when making a polite request to someone in a business or other similar setting and has the same meaning as "お／ご～いただく／ください".

お V-~~ます~~ ］＋ 願う
ご N

①事故の状況をもう一度詳しくお話し願えますか。

②こちらで少々お待ち願えますか。

③緊急の際はこちらにご連絡願います。

④見学ご希望の方は、この書類にご記入願います。

やってみよう！

▶答え 別冊P. 6

1）レストラン、ホールなどでの　・　　・a）お食事はついておりませんので、各自でご用意願います。

2）会議の日時を　・　　・b）スリッパのご使用はご遠慮願います。

3）安全にご使用いただくために、・　　・c）下記の点にご注意願います。

4）会場は無料でご利用可能ですが、・　　・d）ご連絡願いたいのですが…。

75　ご説明申し上げたい　★★

どう使う？

「お／ご～申し上げる」は、「言う」ではなく、「する」の意味で、自分が相手のために何かをするときに使う。「お／ご～する」のもっと丁寧な言い方。

"お／ご～申し上げる" means "do," not "say." Use it when you do something for someone. It is more polite speech than "お／ご～する".

お V-~~ます~~
ご N　　　］＋ 申し上げる

＊「喜ぶ・祈る・答える・案内・相談・紹介」などの言葉と一緒に使われる。

①新校舎建設のため、ご寄付をお願い申し上げます。

②ただ今より今回のプロジェクトについて、私のほうからお話し申し上げます。

③被害に遭われた方に心からお見舞い申し上げます。

④ただ今ご報告申し上げた件について、ご質問のある方はいらっしゃいますでしょうか。

やってみよう！

▶答え　別冊P. 6

1）ご迷惑をおかけいたしましたことを・	・a）お待ち申し上げております。
2）お問い合わせの件については、・	・b）深くおわび申し上げます。
3）皆様のご健康とご活躍を・	・c）今日中にご連絡申し上げます。
4）またのご来店を心より・	・d）お祈り申し上げます。

76　ご連絡いただければと思います　

どう使う？

「～ばと思います」は、「至急ご連絡いただければと思います」のように、相手に「できれば～してほしい」とちょっと遠慮しながら言うときに使われる。「もう少し価格が安ければと思います」のように、自分の希望を言うときにも使われる。

"～ばと思います" is used when you say modestly to someone "if you can, I'd like you to ～" as in "至急ご連絡いただければと思います". It is also used when you express a desire of yours as in "もう少し価格が安ければと思います".

V-ば ＋ と思う

＊「いA ~~い~~ければ／なA であれば ＋ と思う」の形もある。

①こちらの事情をご理解いただければと思います。

②この仕事を山田さんにお願いできればと思っているんですが…。

③皆さんのご意見をお聞かせくだされればと思います。

④スピーチコンテストで入賞できればと思って、がんばっています。

⑤A：こちらのお部屋はいかがでしょうか。

　B：そうですね。もう少し広ければと思うんですが…。

やってみよう！

▶答え　別冊P. 6

1）この作品を通して、　・　　・a）お越しいただければと思います。

2）当社の新製品について　・　　・b）平和へのメッセージを伝えられればと思います。

3）私の新曲を　・　　・c）お時間のあるときにご説明させていただければと思います。

4）近いうちにこちらへ　・　　・d）たくさんの方にお聞きいただければと思います。

77　日程につきましては 

どう使う？

「～について・～にとって・～において・～として・～に関して」は、丁寧に話したいときは「～まして」の形を使う。

Use the " ～まして " form when you want to speak politely using " ～について・～にとって・～において・～として・～関して ".

＊「～として」は、「～としまして」のほか「～といたしまして」も使われる。

①発売の時期につきましては、現在検討中でございます。

②今回のプロジェクトは私にとりましても、貴重な経験になると思います。

③本日１時より中央広場におきまして、抽選会を行います。

④わが社といたしましては、今回の契約はぜひ進めたいと考えております。

丁寧に話したいときには、次のような丁寧形を使った言い方もよく使われる。
When one wants to speak politely, one often speaks using the following kinds of polite forms.

①こちらはアンケート結果をまとめました資料でございます。

②ご質問などがありましたら、いつでもお問い合わせください。

③1日も早くお元気になられますよう、お祈りしております。

④こちらの商品は品質は最高で、お値段も手ごろですし、きっとご満足いただけると思います。

Check

▶答え 別冊P. 6

新入社員の佐藤と①（a．申し伝え　b．申し）ます。このたび、第２営業部に配属されることに②（a．いたしました　b．なりました）。この場をお借りして、一言、ごあいさつ③（a．申し上げます　b．願います）。

私④（a．につきまして　b．にとりまして）はなにぶん初めてのことばかりで、ご迷惑をおかけすることもあるかと⑤（a．存じます　b．存じ上げます）が、皆様にご指導⑥（a．いただいて　b．うけたまわって）、１日も早く皆様のお役に立てるよう、努力して⑦（a．まいります　b．おります）。

どうぞよろしくお願い⑧（a．申し上げ　b．申し伝え）ます。

まとめの問題 Review questions

▶答え 別冊P.15

問題１〈文法形式の判断〉

次の文の（　　）に入れるのに最もよいものを１・２・３・４から一つ選びなさい。

1　特別展を（　　）皆様は入館前に入口の注意事項をお読みください。

1 ご覧になる　**2** ご覧に入れる　**3** 拝見する　**4** 拝見なさる

2　ご注文を（　　）。ご利用ありがとうございます。

1 いたしました　**2** うけたまわりました
3 なさいました　**4** されました

3　先生から貴重な資料を（　　）ことは、私の研究の大きな助けになりました。本当にありがとうございました。

1 拝見できました　**2** 拝借できました
3 お貸しになりました　**4** お見えになりました

4　先生は新内閣についてどう（　　）か。

1 存じます　**2** おわかりです　**3** お考えです　**4** 存じ上げます

5　A：山本先生、今度の日曜日はお宅に（　　）か。
B：あいにく日曜日はちょっと…。

1 おこしになります　**2** おいでになります
3 お見えになります　**4** おります

6　こちらの商品はセール品でございますので、交換はご遠慮（　　）。

1 願います　**2** 存じます
3 いたしません　**4** うけたまわりません

7　お忙しいところ恐縮ですが、貴社主催のツアーについて、詳細を教えて（　　）と存じます。どうぞよろしくお願いします。

1 さしあげて　**2** さしあげれば　**3** いただけて　**4** いただければ

問題2 〈文の組み立て〉

次の文の ___★___ に入る最もよいものを1・2・3・4から一つ選びなさい。

[1] お客様が ____ ____ _★_ ____ ください。

1 2階の　　**2** お見えになったら
3 ご案内して　　**4** 応接室に

[2] この機会にぜひ ____ ____ _★_ ____ 申し上げます。

1 ご案内　　**2** お試し
3 新商品を　　**4** くださいますよう

[3] 商品が ____ ____ _★_ ____ と思います。

1 入荷するまで　　**2** いただければ
3 お待ち　　**4** しばらく

問題3 〈文章の文法〉

次の文章を読んで、文章全体の内容を考えて、[1] から [4] の中に入る最もよいものを、1・2・3・4から一つ選びなさい。

お買い上げ誠にありがとうございます。お届け [1] 商品の品質管理には万全を期して [2] が、万一不良品などが [3] 、お手数ですが、当社までご連絡くださいますようお願い [4] 。

[1] **1** なさいました　**2** いたしました　**3** ございました　**4** まいりました

[2] **1** おります　**2** いたします　**3** 存じます　**4** 申し上げます

[3] **1** 存じましたら　**2** ございましたら
3 ご覧に入れましたら　**4** いたしましたら

[4] **1** ございます　**2** おります　**3** まいります　**4** 申し上げます

問題4 〈聴解〉

1　この問題では、問題用紙に何も印刷されていません。この問題は、全体としてどんな内容かを聞く問題です。話の前に質問はありません。まず話を聞いてください。それから、質問と選択肢を聞いて、1から4の中から、最もよいものを一つ選んでください。

1　2　3　4　　39

2　この問題では、問題用紙に何も印刷されていません。まず、文を聞いてください。それから、それに対する返事を聞いて、1から3の中から、最もよいものを一つ選んでください。

1　**1　2　3**　　40

2　**1　2　3**　　41

9 友達同士の会話 A Conversation with a Friend

食べ放題（1） All-You-Can-Eat (1)

できること

● 身近な話題について、友達と自然な表現を使って話せる。
Use natural expressions to talk to a friend about a familiar topic.

42

小林：この食べ放題、すごくよかったよ。この前、行ったんだけど、とにかくメニューが多い**のなんのって**、ピザやスパゲティから肉じゃが、焼き魚、北京ダックまで、和、洋、中なんでもあるんだ。それに全部でき**たて**。

大田：あ、ここ今人気だよね。ステーキもけっこうおいしいし…。

小林：だから、みんなで行こうよ。ぼくは１食抜いて行くつもりなんだ。

大田：小林君**ったら**何言ってるの。胃の大きさは食事の量によって変わる**ようになっている**のよ。

小林：そうなんだ。この間食べられなかった**わけだ**。胃が小さくなっちゃってたんだね。

大田：そうよ。空腹で行ったらたくさん食べる**どころか**、いつもより食べられなくなっちゃうんだから。そんなことも知らない**ようじゃ**、小林君は、食べ放題初心者ね。

78 メニューが多い**のなんのって** ★

どう使う？

「〜のなんのって」は、「言葉でうまく説明できないくらい非常に〜だ」という気持ちを表す。
" 〜のなんのって " expresses the feeling that something "is so extremely 〜 that I can't explain it well in words."

Pl ＋ のなんのって
[なA だな N だ]

78〜91

①A：どうしたの？ 顔、はれてるよ。

B：虫歯を抜いたら、痛いのなんのって。何も食べられないんだ。

②A：あくびばっかりして、寝不足？

B：隣の部屋の人がテレビでサッカー見ていて、うるさいのなんのって、全然寝られなかったんだ。

③A：突然部長に呼ばれてさ、部長のお嬢さんと見合いしないかって。びっくりしたのなんのって。

B：で、見合いするの？

④午前中、忙しかったのなんのって、トイレに行くひまもないくらいだった。

⑤A：昨日のハイキング、思いのほか大変だったね。

B：ほんと、ぶっ続けで５時間歩きっぱなし。疲れたのなんのって、最後はもう一歩も歩けないっていう感じだったよね。

79　できたて　★★

どう使う？

「～たて」は、「～」が完了して、「～」になってすぐの状態であることを言うときに使う。

Use " ～たて " when you say that " ～ " is finished or that something happened soon after " ～ ".

V-~~ます~~ ＋ たて

＊「作る・できる・焼く・炊く・なる」などの動詞と一緒に使われる。

①炊きたてのご飯ってほんといいね。何杯でも食べられそう。

②A：このおまんじゅう、まだ温かいよ。

B：うん。できたてを買ってきたの。

③このベンチ、ペンキぬりたてだって。

④A：ねえ、うちの姉の子がね、幼稚園で習った覚えたての歌と踊りを見せてくれたんだ。

B：そりゃ、かわいかっただろうね。

③

やってみよう！

▶答え　別冊P. 6

１）A：ねえ、パン買ってきた。やき（a．かけ　b．たて）だよ。いいにおいでしょ。

B：ほんとだね。

2）A：あさって提出のレポート、終わった？

　B：ううん。まだ書き（a．かけ　b．たて）。いつ終わるかまったくわからない状態。

3）A：このとれ（a．たて　b．かけ）のトマト、おいしいね。

　B：うん、ほんと新鮮。

4）A：ここに飲み（a．かけ　b．たて）のジュース置いたの、だれ？

　B：ああ、それ、おれの。

80　小林君ったら 

どう使う？

身近な相手に対して、批判的なことを言いたいときに使う。
Use this when you want to say something critical to a familiar person.

N ＋ ったら

①うちの犬ったら、私が浴衣着てたら、よその人と間違えてほえたのよ。

②うちの弟ったら、私がとっておいたお菓子、全部食べちゃったんだよ。

③A：このパソコンったら、しょっちゅうフリーズするんだ。

　B：じゃあ、買い替えたら？

Plus

〜ってば

「N ＋ってば」も同じように使う。

①お母さんってば、いつも勝手に私の部屋に入るのよ。

②うちの社長ってば、正面玄関に自分の銅像立てるって言うんだ。困っちゃうよ。

81　変わるようになっている 

どう使う？

「泥棒が窓を壊すとブザーが鳴るようになっている」のように、機械のシステムや体のメカニズムなど、何かをしたり、何かが起こったりすると、自動的に次のことが起こると説明するときに使う。
Use this when you explain that a mechanical system, bodily mechanism or the like will automatically do

something when something is done or occurs as in "泥棒が窓を壊すとブザーが鳴るようになっている".

V-る ／ **V-ない** ＋ ようになっている

①ほこりが鼻に入るとくしゃみが出て、自然にそれを外へ出すようになっています。

②最近の回転寿司はお皿についているセンサーで、食べた金額が自動的に計算できるようになっているそうだ。

③このホテルのドアは閉めると自動的にかぎがかかるようになっていますので、お出かけの際はこのカードキーを必ずお持ちください。

④世界初の自動販売機はエジプトで2000年以上前に作られ、お金を入れると水が出るようになっていたそうだ。

⑤このライターは着火部分を固くして、子どもがいたずらしても火がつかないようになっています。

やってみよう！

▶答え 別冊P. 6

1）健康のために毎日20分歩く（a．ようにしています　b．ようになっています）。

2）このストーブは少しの揺れでも、自動的に火が消える

（a．ようにしています　b．ようになっています）。

3）テレビを見ていてわからない言葉が出てきたらすぐ辞書で調べる

（a．ようにしています　b．ようになっています）。

4）この駐車場は人が来ると電気がつく

（a．ようにしています　b．ようになっています）。

☞ p.226　～ように

82　食べられなかったわけだ　★★★

どう使う？

「開かないわけだ、かぎがかかっているよ」のように、思っていたこと（開かない）の理由（かぎがかかっている）がわかって「やっぱり」「なるほど」と納得したときに使う。理由がわからないときは、「どういうわけか」を使う。

As in "開かないわけだ、かぎがかかっているよ", use this when you come to understand that something is the case (it won't open) because of a certain reason (it's locked), as if to say "ah ha" or "now I see." When you do not know the reason, use "どういうわけか".

PI ＋ わけだ
［**なA**だな **N**だの］
＊「～というわけだ」の形もある。

①A：このチョコ、１粒1,000円もするんだよ。
　B：え！ 本当？ じゃあ、おいしいわけよね。
②このゲーム、人気があるわけだよ。やってみたら、キャラクターも個性的だし、ストーリーも独創的だし、最高だよ。
③A：この道、カーブが多くて見通しが悪いし、街灯は少ないし…。
　B：本当だね。事故が多いわけだ。

③

④A：両親に転職を反対されてて…。
　B：それでまだ迷っているというわけなのね。すぐ転職するって言ってたのに、どうしたのかと思ってたんだ。

やってみよう！

▶答え 別冊P. 6

1）A：斎藤さん、今日、就職試験なんだって。
　B：ああ、それでスーツ着て出かけていった（a．わけ　b．はず　c．べき）ね。
2）A：斎藤さん、部屋にいないみたいだね。
　B：うん。今日就職試験だって言っていたから、もう出かけた（a．わけ　b．はず　c．べき）よ。
3）事故にあったときは、まず何をする（a．わけ　b．はず　c．べき）か、落ち着いて考えましょう。
4）A：このプリンターは去年のモデルなので、30,000円引きになっております。
　B：ああ、それで安い（a．わけ　b．はず　c．べき）ね。

☞ p.226　～わけ

83 たくさん食べる**どころか** ★★

どう使う？

「AどころかB」の形で、「雨が降るどころかすごくいい天気になった」のようにA（雨）ではなくて反対のB（いい天気）だと強く言う気持ちを表す。また、「漢字どころかひらがなもわからない」のようにA（漢字がわからない）よりもっと程度がすごいB（ひらがなもわからない）と言うときにも使う。Aには相手の言ったことや自分が初めに思ったことなどが入ることが多い。
As in "雨が降るどころかすごくいい天気になった", the "AどころかB" form expresses a feeling that strongly says "it's not A (rainy weather), it's the opposite, B (fine weather)." In addition, as in "漢字どころかひらがなも読めない", it is also used when you say "it's not A (not able to read kanji), it's something much more, B (not able to even read hiragana)." A is often something the listener said or something the speaker has just thought of.

Pl ＋ どころか
[なAだ Nだ]

①A：旅行、どうだった？ 沖縄(おきなわ)はもう暑いんでしょうね。
　B：ううん。雨に降られて、暑いどころかすごく寒くて、風邪(かぜ)ひきそうだったよ。
②A：ジョギング始めたんだって？ やせた？
　B：それがねえ…。運動するとおなかがすくでしょ？ やせるどころか体重増えちゃった。
③高校生のときは、海外旅行どころか国内旅行もしたことがありませんでした。
④初めはネットで人とチャットするどころかインターネットにつなぐ方法もわからなかった。
⑤日本へ来たばかりのころは道がわからなくて、自転車でスーパーへ行くどころか寮(りょう)の周りを1人で歩くことさえできませんでした。

やってみよう！

▶答え　別冊P. 6

1）A：お宅(たく)は郊外(こうがい)だから、静かでしょう。
　　B：静かどころか（a. 騒音(そうおん)がひどいんですよ　b. とても便利ですよ）。近くに高速道路があるから…。
2）今持っているお金では車を買うどころか（a．家　b．自転車）を買うのも無理(むり)だ。
3）A：今度マラソン大会に出るんだそうですね。
　　B：ええ、走り始めたときは5キロどころか（a．1キロ　b．10キロ）も走れなかったんですけどね。

☞ p.223　～ところ／どころ

84　そんなことも知らないようじゃ　★

どう使う？

今の状態(じょうたい)を続けているといい結果(けっか)にならない、と批判(ひはん)する気持ちを表す。
This expresses the feeling that your judgment is that the result will not be good if the current situation continues.

V-る ／ **V-ない** ＋ ［ようでは／ようじゃ］

①おしゃれに全然気を使わないようじゃ、社会人としてまずいんじゃない？

②A：料理１つ作るのにこんなに時間がかかるようじゃ、一人暮らしは無理かな？

　B：慣れれば早くできるようになるから、大丈夫だよ。

③締め切りを守れないようじゃ、漫画家としてやっていけないよ。

④上級になっても、知らない言葉をいちいち辞書で調べているようでは、読解はうまくならないと先生に言われた。

☞ p.225　～よう

Check

▶答え　別冊P. 6

1）A：このはちみつ、ブルーベリーが入っているんですよ。

　　B：だから紫色をしている ＿＿＿＿＿＿＿ ね。

2）ベルリン動物園、広い ＿＿＿＿＿＿＿、１日じゃとても回りきれなかったよ。

3）このマンションは火事が起きると自動的に防火扉が閉まる

＿＿＿＿＿＿＿。

のなんのって　　ようになっている　　わけです

4）お父さん ＿＿＿＿＿＿＿、部屋の電気つけっぱなしにしないでよ。

5）A：さっき、商店街のお肉屋さんの前を通ったら、揚げ ＿＿＿＿＿ のコロッケのいい匂いがしたから、買っちゃった。

　　B：えー！ 10個も!?

6）「縁があれば」なんて言っている ＿＿＿＿＿＿＿、恋人なんかできないよ。

7）A：ドイツ工場へ見学に行くんだって？ ドイツ語できるんだ、すごいね。

　　B：とんでもない。ドイツ語 ＿＿＿＿＿＿＿ 英語さえちゃんと話せないよ。どうしよう。

どころか　　ったら　　たて　　ようじゃ

9 友達同士の会話 A Conversation with a Friend

食べ放題（2） All-You-Can-Eat (2)

できること

● 身近な話題について、友達と自然な表現を使って話せる。
Use natural expressions to talk to a friend about a familiar topic.

43

小林：え？　食べ放題に初心者って？

大田：食べ放題は店との勝負よ。経験も技術も必要よ。飲み物は控えめに。値段の高いものを狙う。あとは、料理は食べきれる量をとって、ゆっくり食べること。

小林：なんでゆっくりなんだよ。食べ放題で上品**ぶって**もしょうがないだろ？　とにかくどんどん食べなきゃ。

大田：初心者**に限って**そういうこと言うんだよね。食べ放題はマラソンよ。元を取ろうと思ったら、とにかく最後までペースを崩さずに食べ続ける**ことだ**よ。

小林：へえ。そうなんだ。どうしてそんなに詳しいの？

大田：私、この近くの食べ放題**という**食べ放題は全部行っているもん。

小林：へえ。

大田：それにね、残したら、罰金を払わされる店もあるから気をつけないとだめよ。先週も友達と焼き肉の食べ放題に行ったんだけど、危うく罰金を払わされる**ところだった**んだから。

小林：それで、どうなったの？

大田：最後の力をふりしぼって、私が食べたわよ。罰金払う**くらいなら**、がんばったほうがずっと**まし**だと思って…。

小林：大田さんがいれば心強いね。メンバー集めるから、絶対一緒に行こうね。よろしく！

85 上品ぶってもしょうがない 

どう使う？ 

実際はそうではないのに、そのように見せていることを表す。
Express yourself to act like something is the case although it is in fact not.

N
なA　　＋ ぶる
いA ~~い~~

*「優等生・悪者・大人・上品・いい子・偉い」などの言葉と一緒に使う。
*「ぶる」は「ぶらない」「ぶって」のように、Iグループの動詞と同じ活用をする。

①昔ぼくは好きな女の子の前で悪ぶっていた。本当は、好きだって言う勇気がなかっただけなんだ。

②A：あいつ、先生の前だといい子ぶるけど、掃除サボるし、宿題も誰かの写してるんだぜ。
　B：まったく、頭に来るよな。

③あの人は大企業の社長なのに少しも偉ぶったところがない。

④たとえかっこいい人の前でも、お嬢様ぶるなんて、私には無理だ。

86 初心者に限って 

どう使う？ 

「〜に限って…」は、「〜の立場の人は一般的に（…の傾向がある）」と批判的に言いたいときに使う。
Use " 〜に限って…" when you want to criticize that "people in 〜 position generally (tend to …)".

N ＋ に限って

①よく知らないやつに限って、偉そうなことを言う。

②金持ちに限って、けちでお金を出すのを嫌がるんだよね。

③高い車に乗っている人に限って、安いアパートに住んでるんだって、山田さんは言っていたけど、本当かな。

☞ p.223　〜に限る／限り

「答えがわからないときに限って先生に質問される」のように、「～のとき運悪く…」と言いたいときにも使う。
You can also use it when you want to say someone has "bad luck when ～" as in "答えがわからないときに限って先生に質問される".

①お金がない日に限って、友達にお酒を飲みに誘われる。

②急いでいるときに限って、バスが来ない。

③大切な試験があるのに、今日に限って寝坊してしまった。

87 食べ続けることだよ ★

どう使う？

「～ことだ」は、「～すべきだ、～したほうがいい」という話者の判断を表す。アドバイスに使われることが多い。
"～ことだ" expresses the judgment of the speaker, as in "you should ～; you ought to ～". It is often used to give advice.

V-る／V-ない ＋ ことだ

①仕事でも何でも自分一人で悩まないで、誰かに相談することですよ。

②強くなりたかったら、自分の長所を伸ばすことだ。

③カビを防ぐには毎日部屋の換気をすることです。

④ルームメイトと楽しく暮らすには、お互いに迷惑をかけないように気をつけることですよ。

☞ p.221 ～こと

88 食べ放題という食べ放題 ★

どう使う？

「～という～」は、「店中の客という客が立ち上がって踊り出した」のように、すべての「～(客)」を表す。「～」の部分は同じ言葉をくり返す。
As in "店中の客という客が立ち上がって踊り出した", "～という～" refers to all "～(customers)." The same word is used both times for "～".

N ＋ という ＋ N

①今回の森林火災で、この辺の木という木は、１本残らず燃えてしまった。

②田中監督はこの映画で、今年の映画関連の賞という賞を独占した。

③クリスマスにロンドンへ行ったら、店という店が閉まっちゃってて、何も買えなかった。
④桜の季節には道という道に観光客があふれ、地元の人間にとっては迷惑な話だ。

89 罰金を払わされるところだった ★★★

どう使う？

「～ところだった」は、「もう少しでけがをするところだった」のように、「～の状況になりそうだったが、実際にはそうならなかった」と言いたいときに使う。
Use " ～ところだった " when you want to say "it seemed like it was going to be ～, but actually it didn't" as in " もう少しでけがをするところだった ".

V-る ＋ ところだった
＊「～なければならない」「～ざるを得ない」などと一緒に使うこともある。

②

①今朝は30分も寝坊しちゃって、危うく遅刻するところだったよ。
②マンガに夢中になっていて、友達が教えてくれなかったら、乗り過ごすところだった。
③祖父の病気はもう少し発見が遅れていたら、手遅れになるところだった。
④A：終電に間に合ってよかったね。
B：うん。これに乗れなかったら、歩いて帰らなきゃならないところだったね。

やってみよう！

▶答え 別冊P. 6

1）自転車が急に飛び出してきて、もう少しでぶつかる（a．ところだった　b．はずだった）。
2）残業は1時間で終わる（a．ところだった　b．はずだった）のに、3時間かかってしまった。
3）今日は遠足に行く（a．ところだった　b．はずだった）のに、雨が降ったので中止になった。
4）階段で押されて、危うく転ぶ（a．ところだった　b．はずだった）。

☞ p.223 ～ところ／どころ

90　罰金払うくらいなら　★★

どう使う？

「1時間待つくらいならほかの店に行こう」のように、「AくらいならB」の形で、「Aする（1時間待つ）のは嫌だから、Bも一番いいとは言えないがB（ほかの店に行く）を選ぶ」と言いたいときに使う。「ほかの店に行ったほうがよかった」のように後悔するときにも使う。

As in "1時間待つくらいならほかの店に行こう", use the "AくらいならB" form when you want to say "I don't like to do A (wait an hour), so I choose B (to go to another store) although I can't say B is the best." You can also use this to express regret as in "ほかの店に行ったほうがよかった".

V-る ＋ くらいなら

①A：カメラが壊れちゃって、修理代が15,000円もするんだ。

　B：15,000円も払うくらいなら、新しいのを買ったほうがいいね。

②お金を払って電車に乗るくらいなら、時間がかかっても自転車で行ったほうがいい。

③A：レポート、締め切りに間に合わないよ。どうしよう。

　B：そんなにあせるくらいなら、もっと早く書き始めればよかったのに。

④A：先生。父ったら、好きなお酒が飲めないくらいなら、治療なんかしなくたっていいって言うんです。

　B：それは困りましたね。

④

やってみよう！

▶答え　別冊P. 6

1）材料費を1,000円も出すくらいなら、・　　・a）残業のほうがいいよ。

2）疲れて学校休むくらいなら、・　　・b）手作りするより、買ったほうがいいんじゃない？

3）上司と飲みに行くくらいなら、・　　・c）最初から付き合わなければよかったのに…。

4）すぐに別れるくらいなら、・　　・d）アルバイトなんてやめなさい。

☞ p.221　～くらい

91　がんばったほうがずっとましだ　★★

どう使う？

「まし」は、「ほかのものと比べてみて、いいとは言えないが、一番悪いわけではない」と言いたいときに使う。「～ほうが・～より・～だけ・まだ・ずっと」などと一緒に使われることが多い。
Use "まし" when you want to say "I can't say it's good when compared to something else, but it's not the worst." It is often used together with "～ほうが・～より・～だけ・まだ・ずっと", etc.

①A：もうすぐ冬だね。私、寒いの苦手なんだ。
　B：暑いより、寒いほうがましだよ。寒いときには服を着ればいいんだから。
②A：彼、何を作っても何も言わずに食べるだけなの。
　B：ちゃんと食べてくれるならいいじゃない。「まずい」って言われるよりましでしょ。
③A：残業が多くて、嫌になっちゃいますよ、先輩。
　B：そう言うけどね、不景気なんだから、仕事があるだけましだと思わなきゃいけないんだぞ。
④あいつは入社５年目なのにミスばかりで、新人の加藤のほうがまだましだ。

やってみよう！

▶答え　別冊P. 6

1）A：バレンタインのチョコ、１つしかもらえなかったんだー。それも姉から…。
　B：でも（a．ある　b．ない）よりましだよ。うちは兄弟、男ばかりだからさ。
2）A：今のアルバイト、交通費が500円までしか出ないんだ。
　B：いいじゃない。500円でも（a．出る　b．出ない）よりましだよ。
3）文句を言って気まずくなるくらいなら、（a．何も言わない　b．何でも言った）ほうがましだと思う人が多い。
4）火事でうちが燃えてしまったが、（a．うちが燃えた　b．命が助かった）だけましだと思うことにした。

▶答え　別冊P. 6

1）あの通販（つうはん）サイト、にせブランド品を売っていたんだって。
だまされる ＿＿＿＿＿ わ。

2）あんな危（あぶ）ない運転をする人の車に乗るより、遠くても、歩いたほうが
＿＿＿＿＿ と思う。

3）楽器（がっき）は何でも上達（じょうたつ）しようと思ったら練習が一番。毎日練習する
＿＿＿＿＿ よ。

ことだ　　ところだった　　ましだ

4）A：え？ ノンアルコールビール？ そんなのを飲む ＿＿＿＿＿ ぼくは
水飲むよ。
B：そう？ これ、けっこうおいしいんだよ。

5）相談（そうだん）したいことがある日 ＿＿＿＿＿、夫（おっと）の帰りが遅い。

6）クリスマスシーズンのこの町は、家 ＿＿＿＿＿ 家が電球（でんきゅう）で飾（かざ）られて
華（はな）やかだ。

7）あの子、大人 ＿＿＿＿＿ 難しい言葉を使っているけれど、意味がわかっ
ているのかな。

くらいなら　　ぶって　　に限（かぎ）って　　という

まとめの問題 Review questions

▶答え　別冊P.16

問題１〈文法形式の判断〉

次の文の（　　）に入れるのに最もよいものを１・２・３・４から一つ選びなさい。

1　当店では、作り（　　）の味をお楽しみいただけるよう、ご注文を受けてから作っています。

1　ながら　**2**　たて　**3**　かけ　**4**　しだい

2　この防災セットに入っているご飯は、常温で５年間保存できる（　　）。

1　かのようです　**2**　ようにしています

3　ようになっています　**4**　ようにしてください

3　９月になったのに、涼しくなる（　　）、さらに暑さが厳しくなったような気がする。

1　に反して　**2**　くらいなら　**3**　はもとより　**4**　どころか

4　A：え、昼休み30分だけですか？
B：30分でもあるだけ（　　）よ。私なんか食べながら仕事することだってあるんだから。

1　といった　**2**　ましだ　**3**　というものだ　**4**　らしい

5　リムジンバスが渋滞で遅れて、もう少しで飛行機に乗り遅れる（　　）。

1　ことはないだろう　**2**　ところだった

3　ところではなかった　**4**　ばかりだった

6　怖くて眠れなくなる（　　）、ホラー映画なんて見なければいいのに。

1　のなんのって　**2**　どころか　**3**　くらいなら　**4**　反面

7　A：強化合宿、どうだった？
B：まいったよ。ほんと、死んだ（　　）と思うくらいきつかったよ。

1　ほうがましだ　**2**　ところだった　**3**　ことだ　**4**　おそれがある

問題2 〈文の組み立て〉

次の文の ＿★＿ に入る最もよいものを1・2・3・4から一つ選びなさい。

1　上手にしからないと ＿＿＿ ＿＿＿ ＿★＿ ＿＿＿ プレッシャーでいい面もつぶしてしまいかねません。

1 能力を　**2** どころか　**3** 引き出す　**4** 部下の

2　こちらの車は ＿＿＿ ＿＿＿ ＿★＿ ＿＿＿ ので、キャンプにも使えます。

1 寝泊まり　**2** 車内で

3 ようになっている　**4** できる

3　暑いから、狭いテントで ＿＿＿ ＿＿＿ ＿★＿ ＿＿＿ ほうがましだ。

1 くらいなら　**2** 寝た　**3** 外で　**4** 寝る

4　課長は忙しい ＿＿＿ ＿＿＿ ＿★＿ ＿＿＿ 頼んでくるから困るんだ。

1 に限って　**2** めんどうな　**3** とき　**4** 仕事を

5　「いくら ＿＿＿ ＿＿＿ ＿★＿ ＿＿＿ 」と母は言った。

1 年は　**2** 若い子　**3** ごまかせなかった　**4** ぶっても

問題3 〈文章の文法〉

次の文章を読んで、文章全体の内容を考えて、［1］から［4］の中に入る最もよいものを、1・2・3・4から一つ選びなさい。

今、伊豆にある友達の別荘に遊びに来てます。

今朝起きたら、びっくりした［1］、一面の銀世界。道路もすっかり雪が積もって、車が通れなくなっちゃってました。朝ご飯は近くのお店からおいしい牛乳と焼き［2］のパンが届くっていうことだったけど、こんな状態なので配達は無理。しょうがないから、残ってたお菓子を食べました。何も食べられないより［3］けど。

そのあと、いつ来るかわからない配達を待ってる［4］買いに行ったほうが早いと思って、友達と2人でちょっと離れたスーパーまで行くことにしたんだけど、雪で歩きにくくてとーっても大変でした。お昼はバスで港までおいしい魚を食べに行く予定だったんだけどな～（泣）。

1	**1** のなんのって	**2** からだ	**3** けれど	**4** ところが
2	**1** 始め	**2** たて	**3** かけ	**4** 次第
3	**1** ほかなかった	**2** おかげだった	**3** に比べた	**4** ましだった
4	**1** くらいなら	**2** くらいだから	**3** どころだから	**4** ところまでは

問題4〈聴解〉

1　この問題では、まず質問を聞いてください。そのあと、問題用紙の選択肢を読んでください。読む時間があります。それから話を聞いて、問題用紙の1から4の中から、最もよいものを一つ選んでください。

44

1 カードをなくしたから

2 搭乗券をなくしたから

3 搭乗券を捨ててしまったから

4 手続きの期間が終わっていたから

2　この問題では、問題用紙に何も印刷されていません。まず、文を聞いてください。それから、それに対する返事を聞いて、1から3の中から、最もよいものを一つ選んでください。

1　**1**　**2**　**3**　45

2　**1**　**2**　**3**　46

3　**1**　**2**　**3**　47

10 エッセーを読む Reading an Essay

満員電車（1） A Full Train (1)

できること

- エッセーを読んで、筆者の考え方や感じ方が理解できる。
  Read an essay and understand the author's thoughts and feelings.

48

朝の通勤電車の混雑はつらい**ものがある**。満員電車にストレスを感じない人はいる**まい**。日々耐えている乗客を見る**につけ**、みんな何と我慢強いのだろうと思う。まるで何かの訓練をしているかのようだ。

朝のホームでは、いつも同じ場所に立つ。この路線にはいくつか高校があり、階段の近くに止まるこの車両には高校生がたくさん乗っている。だからこの車両は混んでいる**わりに**は座れるチャンスがあるのだ。

電車がホームに入ってきた。ドアが開いた。押されながら乗り込み、座っている高校生の前に立つ。

92 つらいものがある ★

どう使う？

「〜ものがある」は、「〜感じがする」と言いたいときに使う。「具体的に何とは言えないが、そう思われる要素がある」と言うときにも使われる。

Use " 〜ものがある " when you want to say something "seems 〜." This expression is used when something makes you think a certain way, but you cannot say exactly what it is.

Pl ＋ ものがある

［なA だな N だ］

［現在形だけ］

①A：この町、ずいぶん変わりましたね。

B：ええ、便利にはなったんですが、違う町になってしまったみたいで、さびしいものがありますよ。

②A：四葉商事が、もうちょっと安くならないかって言ってきているんですが…。

B：これ以上の値下げは、かなり厳しいものがあるなあ…。

③A：タンさんって才能あるよね。

B：私もそう思う。彼の絵にはすばらしいものがあるよね。

④世界中で大ヒットした歌には、世代を超えて人々の心に響くものがある。

☞ p.224 ～もの／もん

93 ストレスを感じない人はいるまい ★★

どう使う？

「～まい」は、状況などから判断して、「～の可能性は非常に少ないだろう」と言いたいときに使われる。

" ～まい " is used when you want to say that judging from a situation or the like, "there is very little possibility of ～ ".

V-る ＋ まい

＊動詞のⅡグループとⅢグループには、複数の接続のし方がある。

食べる → 食べるまい／食べまい
する → するまい／すまい／しまい
来る → 来るまい／来まい／来まい

①世界経済は状況から見て、すぐに好転することはあるまい。わが社も早急に対策を考えなければならない。

②どんなに生活習慣が変わっても、日本から畳の部屋がなくなることはあるまい。

③双方の利害が対立しているので、A国との貿易問題は容易には解決するまい。

④環境保護への関心は高まっているが、代替エネルギーの普及は簡単には進むまい。

やってみよう！

▶答え 別冊P. 7

1）彼は正直すぎるから、お客様に失礼なことを（a．言うまい　b．言いかねない）。

2）この天候では、明日の登山は

（a．中止するしかあるまい　b．中止するわけではない）。残念だがしかたがない。

3）今回の選挙で山口氏が落選することは（a．あるまい　b．あるわけではない）と、支持者は安心しているようだ。

4）会社に対して特に不満が（a．あるまい　b．あるわけではない）が、通勤に2時間もかかるので転職したいと思っている。

「絶対〜するのはやめよう」という強い意志を表すこともある。
You can also use it to express a strong determination to "absolutely stop doing 〜".

①有名レストランへ行ったが、そのサービスの悪さに二度と行くまいと思った。

②彼女に振られた直後は、もう恋なんかするまいと思っていたが…。

③お酒を飲みすぎて階段から落ちてから、もう二度とお酒は飲むまいと心に誓った。

 p.224　〜まい

94　乗客を見るにつけ　★

どう使う？

「〜につけ…」は、「何かを見たり聞いたりするたびに（いつも…と思う）」と言いたいときに使う。
Use "〜につけ…" when you want to say "(I always think …) when I see or hear something."

V-る ＋ につけ

＊「暑いにつけ寒いにつけ」のような慣用表現で「どんなときも」という気持ちを表すこともある。
As in "暑いにつけ寒いにつけ", you can also use it as an idiomatic expression to express a feeling of "whatever."

①電車の中で走り回る子どもたちを見るにつけ、家庭でしっかりしつけをしろと言いたくなる。

②戦争の悲惨な体験を聞くにつけ、平和の大切さを痛感する。

③環境汚染のニュースを聞くにつけ、健康への影響に不安を感じる。

④よいにつけ悪いにつけ、人はうわさ話をしたがるようだ。

⑤母は何かにつけ、心配して電話してくる。

95 混んでいるわりには ★★★

どう使う？

「この部屋は、広いわりに家賃が安い」のように「〜わりに…」の形で、「〜から当然考えられる程度（広ければ家賃が高い）と比べれば…である（家賃が安い）」と言いたいときに使う。

As in "この部屋は、広いわりに家賃が安い", use the "〜わりに…" form when you want to say that compared to what one would normally think from "〜 (a spacious apartment is expensive), something is less or more so (the rent is cheap)."

Pl ＋ わりに

［**なA** だな **N** だの］

①この料理は簡単なわりに豪華に見えるので来客のときによく作るんです。

②彼女は映画が好きだと言うわりには、映画のことを知らない。

③祖父は年齢のわりに若く見える。

④安田さん、テニスが嫌いだと言っていたわりには、熱心に練習していますね。

やってみよう！

▶答え 別冊P. 7

1）このかばんは値段が手ごろなわりに、・

2）準備の時間があまりなかったわりには、・

3）大きな事故だったわりに、・

4）この1か月忙しかったわりに、・

・a）うまくスピーチができた。

・b）たいしたけがもせず、よかったですね。

・c）もうけは少なかった。

・d）高級感があるし、使いやすそうだね。

▶答え 別冊P. 7

1）「一生友達でいようね」と言っていた相手からメールの返事も来なくなってしまうのは悲しい ＿＿＿＿＿＿。

2）このホテル、値段の ＿＿＿＿＿＿、部屋もよくて料理も豪華で、すごくよかったね。

3）テクノ社が倒産したのは、技術さえあれば注文が減ることはある ＿＿＿＿＿＿ と考えていたからだと、関係者は述べている。

4）会話が上手な友達を見る ＿＿＿＿＿＿、自分も早く上手になりたいと思う。

まい　　ものがある　　わりに　　につけ

10 エッセーを読む Reading an Essay

満員電車（2） A Full Train (2)

92〜99

できること

- エッセーを読んで、筆者の考え方や感じ方が理解できる。
  Read an essay and understand the author's thoughts and feelings.

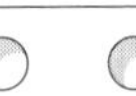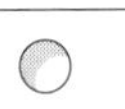

49

次の駅が近づいてきた。前に座っている女子高生が、見ていた教科書をかばんにしまった。よし、今日は座るぞ。彼女が立つ**か**立たない**かのうちに**、次は自分が座るという態度を周りに示す。

しかしその子は全然立とうとしない。教科書をしまったのは文庫本を取り出すためだった。ああ、降りないのか。残念。周りを見ると、座っている人はみんな自由に好きなことをしている。2、3人で雑誌を見ながら楽し**げ**におしゃべりしている子たちもいる。そんな様子がくやしい**やら**うらやましい**やら**…。

駅に着いて乗客が降りた**かと思うと**、それ以上の人が乗り込んでくる。結局、立ったまま背中をぐいぐい押され、耐えているうちにまた次の駅に着く。

やはり満員電車はつらい訓練の場なのだ。

96 立つか立たないかのうちに 

どう使う？

「〜か〜ないかのうちに…」は、「〜の動作が完全に完了しないくらい短い時間の間に」と言いたいときに使う。

Use "〜か〜ないかのうちに…" when you want to say "during the short time in which the action 〜 is not completely finished."

V-る ／ **V-た** ＋ か ＋ **V-ない** ＋ かのうちに

＊同じ動詞を使う。

①早食い選手権を見ていたら、選手たちは食べ物を口に入れたか入れないかのうちに、次の料理に手を伸ばしていた。

②５時になるかならないかのうちに、彼はさっさと帰り仕度を始めた。

③早朝から開店セールに並んだ人たちはドアが開くか開かないかのうちに、どっと店内になだれ込んだ。

☞ p.220　～うちに

97　楽しげにおしゃべりしている　★★

どう使う？

「～げ」は、「～そうだ」と同じように、見て感じた印象を言うときに使われる。気持ちを表す言葉と一緒に使われることが多い。

" ～げ ", like " ～そうだ ", is used when you state an impression from what you see and feel. It is often used together with words that express emotions.

いA ~~い~~ ］＋ げ
なA

＊「～げ」は、な形容詞になる。
＊「さびしい・悲しい・楽しい・不安・得意・満足・～たい」などの言葉と一緒に使われる。

①プロジェクトメンバーは、誇らしげな表情で成功したことを報告した。

②映画のラストシーンで、主人公がさびしげに微笑んだのが印象的だった。

③彼女はしかられている間、何か言いたげだったが、結局何も言わなかった。

④夏はやっぱり涼しげなワンピースがいいですね。

やってみよう！

▶答え　別冊P. 7

1）最近疲れ（a．げ　b．ぎみ）だから、休暇をもらって温泉へ行きたいなあ。

2）交流会で学生たちが楽し（a．げ　b．ぎみ）に子どもたちとおしゃべりしている。

3）鉄分が不足（a．げ　b．ぎみ）の方はレバーなどビタミンBをとるようにしてください。

4）プロジェクトメンバーから外されて、彼女は不満（a．げ　b．ぎみ）だった。

98 くやしいやらうらやましいやら ★

どう使う？

「AやらBやら」は、「AやBなど」「AたりBたり」と同じ意味で、例をあげて、いろいろあって大変だったり驚いたりした気持ちを表す。どちらかはっきりわからないことを表す場合もある。

" AやらBやら " has the same meaning as " AやBなど " and " AたりBたり " by give examples and expresses a sense of adversity or surprise for various reasons. It is also used to express that you are not quite sure which is the reason.

V-る₁ / いA₁ / N₁ ＋ やら ＋ V-る₂ / いA₂ / N₂ ＋ やら

①部屋代やら、交通費やら、日本はとにかくお金がかかる。

②酔った彼女は、泣くやら、わめくやら、手がつけられない状態だった。

③海で子どもを助けたことが新聞に載って、うれしいやら恥ずかしいやら…。

99 乗客が降りたかと思うと ★★★

どう使う？

状況が急に変わったことを強調して説明するときに使う。自分のことを説明するときには使わない。

Use this when you emphasize that a situation has suddenly changed. Do not use it to explain about yourself.

V-た ＋ かと思うと / かと思ったら

①青空を飛んでいた鳥は突然海に潜ったかと思うと、魚を口にくわえて出てきた。

①

②工場でドンと大きな音がしたかと思うと、真っ赤な火が燃え広がった。

③空が光ったかと思ったら、校庭の桜の木に大きな雷が落ちた。

④この前、絵画クラブに入ったかと思ったら、今度はテニス部。妹はすぐ飽きてしまうようだ。

やってみよう！

▶答え 別冊P. 7

1）部長は中国に出張していたかと思ったら、（　　　）。

a．今度はタイへ行くそうだ

b．本当に忙しい人だ

2）彼は会社に入ったかと思ったら、（　　　）。

a．仕事がまったくできない

b．もうやめてしまった

3）洋子（ようこ）は「ごちそうさま」と言ったかと思うと、（　　　）。

a．すぐ勉強を始めた

b．お腹（なか）がいっぱいになった

4）楽しみにしていたゲームソフトがやっと発売（はつばい）されたかと思ったら、（　　　）。

a．あっという間に売り切れてしまった

b．おもしろいゲームだといいなあ

Check

▶答え 別冊P. 7

1）今年の冬はノロウイルス ＿＿＿＿ インフルエンザ ＿＿＿＿ で、欠席者（けっせきしゃ）が多かった。

2）タイ料理が注目（ちゅうもく）を浴（あ）びた ＿＿＿＿＿＿、今度はベトナム料理。レストラン業界（ぎょうかい）も変化（へんか）が激（はげ）しいね。

3）電話の向（む）こうの彼女の声がなんだかさびし ＿＿＿＿ だ。何かあったのだろうか。

4）ホームにいる乗客（じょうきゃく）が全員乗り終わる ＿＿＿＿ 終わらない ＿＿＿＿ のうちに、ドアが閉まり始めた。

げ　　やら・やら　　かと思ったら　　か・か

まとめの問題 Review questions

▶答え 別冊P.17

問題1〈文法形式の判断〉

次の文の（　　）に入れるのに最もよいものを1・2・3・4から一つ選びなさい。

1　ブレーキの音が聞こえた（　　）、突然トラックが店に飛び込んできた。

1　かと思ったら　**2**　かのように　**3**　といっても　**4**　からといって

2　同じ失敗はくり返す（　　）と思っていても、ついやってしまうのが人間だ。

1　ことだ　**2**　にすぎない　**3**　まい　**4**　まいか

3　入学以来成績がトップだった彼は、今回のテストで2位になって人生が終わってしまった（　　）落ち込んでいる。

1　かと思うと　**2**　かのように　**3**　限り　**4**　わりに

4　梅を見に行ったが、名所と言われている（　　）、梅の木が少なくてがっかりした。

1　につけ　**2**　ばかりでなく　**3**　だけあって　**4**　わりには

問題2〈文の組み立て〉

次の文の＿★＿に入る最もよいものを1・2・3・4から一つ選びなさい。

1　お茶のいれ方など、＿＿＿　＿＿＿　＿★＿　＿＿＿と思っていたが、きちんとした方法は意外に知らない人が多くて驚いた。

1　人は　**2**　まい　**3**　いる　**4**　知らない

2　彼は他人に＿＿＿　＿＿＿　＿★＿　＿＿＿ので、みんなに嫌がられている。

1　甘い　**2**　厳しい　**3**　自分に　**4**　わりに

3　みんなが＿＿＿　＿＿＿　＿★＿　＿＿＿気になる。

1　話か　**2**　楽しげに　**3**　話していると　**4**　何の

問題3 〈文章の文法〉

次の文章を読んで、文章全体の内容を考えて、[1] から [4] の中に入る最もよいものを、1・2・3・4から一つ選びなさい。

新米ドライバーの私 [1]、カーナビは必需品だ。情報を入力すれば、地図と音声で目的地まで道案内をしてくれる。高速道路では料金を教えてくれるし、休憩を取った様子がないと「ちょっと休んだほうが…」と話しかけてくる。その声は本当に心配しているかのようだ。まさに有能な秘書だ。地図やらガイドブックやらたくさん抱えて車に乗り込み、ちょっと道を間違えただけで、ぶつぶつ言う彼女よりずっといい。だがその彼女もカーナビがあれば道に迷うことはある [2] と思っているらしく、地図を見ていた [3]、いつの間にか寝ていることもある。そうしたら、秘書と２人きりのドライブだ。静かでいいと思う反面、そのドライブにはどこかさびしい [4]。

[1]
1 として　**2** に対して　**3** に応じて　**4** にとって

[2]
1 まい　**2** ものがある
3 かのようだ　**4** わけにはいかない

[3]
1 かのうちに　**2** かと思ったら　**3** かのように　**4** わりには

[4]
1 やら　**2** というものだ　**3** ものがある　**4** かと思う

問題4 〈聴解〉

1 この問題では、まず質問を聞いてください。そのあと、問題用紙の選択肢を読んでください。読む時間があります。それから話を聞いて、問題用紙の1から4の中から、最もよいものを一つ選んでください。

1 体の大きさ (50)

2 住んでいるところ

3 えさのとり方

4 性格

2 この問題では、問題用紙に何も印刷されていません。まず、文を聞いてください。それから、それに対する返事を聞いて、1から3の中から、最もよいものを一つ選んでください。

| 1 | **1 2 3** | (51)

| 2 | **1 2 3** | (52)

| 3 | **1 2 3** | (53)

11 記事を読む Reading an Article

ラーメンの紹介 Introduction to Ramen

できること

- 雑誌やインターネット上などの紹介記事を読んで、理解できる。
  Understand introductory articles in magazines, on the internet and elsewhere.

54

進化する日本食　ラーメンの魅力

外国人に「日本料理で何が好きか」とたずねると、すしやてんぷらばかりでなく、「ラーメン」という答えが意外に多いのです。ラーメンは中国のめん料理を起源にしていると言われますが、外国人にとってラーメンは日本料理**にほかならない**のです。

昔のラーメンは気軽に空腹を満たすもの**にすぎなかった**かもしれませんが、今ではラーメンは立派な料理です。ラーメンはめんやスープの作り方に工夫ができる**上**に、めんにのせる具にもバリエーションがつけやすいのです。そのため、ラーメン**といっても**、最近はイタリア料理のトマトソースを使ったもの、サラダ感覚で食べられるもの、スープのないものなど、様々なものがあります。ラーメンはしょうゆ**に限る**と言う人も、一度食べてみる価値があるのではないでしょうか。

先日インターネットで話題になっているラーメン店に行ってみました。人気店**だけあって**、すごい行列でした。2時間待たされましたが、さすがにそのラーメンはスープ**にしろ**、具**にしろ**、その店独自の工夫がされていて、今までにない新しいものでした。日本料理の新ジャンルとしてのラーメンがこれからどんな進化をしていくのか、楽しみです。　（文：週刊ABK編集部）

ラーメンの様々なバリエーション

100 日本料理にほかならない ★

どう使う？

「～にほかならない」は、「～以外のほかのものではない」ことを表す。「一番の理由・大切なこと・問題になることは～だ」と強く言いたいときに使われる。
" ～にほかならない " states that something "is nothing other than ～ ". It is used when you want to strongly say " ～ is the biggest reason / important / a problem. "

N ＋ にほかならない

＊理由を表す「から・ため」にもついて、原因・理由・根拠を強調する言い方になる。
You can also say it with "から・ため", which emphasizes a cause, reason or basis.

①今回のプロジェクトの成功は、チームワークの勝利にほかなりません。
②政治の目的は国民の幸福にほかならない。
③事故を起こしたのは労働条件が厳しかったからにほかならないと、彼は裁判で主張した。
④この国の人々が貧しくても笑顔で暮らしているのは、心の豊かさを大切にしているからにほかならない。

101 空腹を満たすものにすぎなかった ★★

どう使う？

「～にすぎない」は、「合格率は８％にすぎない」のように、「ただ～だけだ」と説明したいときに使われる。数の言葉が含まれていなくてもあまり価値がないと思っているときによく使われる。
" ～にすぎない " is used when you want to explain that something is "only ～ " as in " 合格率は８％にすぎない ". It is also often used when you think that something does not have much value.

V-る ／ V-た
N ］ ＋ **にすぎない**

①この高校は２年前に男女共学になったが、男子学生はまだ10人にすぎない。
②警察の仕事は人々の安全を守ることで、地域のパトロールはその１つにすぎません。
③世界人口の２割を占めるにすぎない先進国の人々が、CO_2の６割を排出していると言われている。
④人類は地球上の生物のわずか２％を発見したにすぎず、全ての生物を確認、分類するのは不可能だと言われているそうだ。
⑤違う国の人と交流するとき、言葉は１つの手段にすぎない。言葉がわからなくても気

持ちを伝えることはできるはずだ。

やってみよう！

▶答え 別冊P. 7

1）締め切りは明日だから、徹夜してでも完成させる（a．にすぎない　b．しかない）。
2）これは私の希望（a．にすぎない　b．しかない）のですが、今回の成果が様々な研究に応用され、将来的に多くの人の役に立てばうれしいです。
3）先生と呼ばれていても、ボランティアで日本語を教えている（a．にすぎない　b．しかない）。
4）酒の席は嫌だが、大事な取引先の招待だから、行く（a．にすぎない　b．しかない）。

102 工夫ができる上に ★★★

どう使う？

「このアルバイトは交通費が全額出る上に食事もついている」のように、「状況や理由が１つだけでなく２つ以上ある」と言いたいときに使う。

Use this when you want to say "there are two circumstances or reason, not just one" as in "このアルバイトは交通費が全額出る上に食事もついている".

Pl ＋ 上（に）

［**なA** だな　**N** だの］

＊「**なA**／**N** である ＋ 上」の形もある。

＊名詞は状態や様子を表す言葉が使われる。

Words that express a state or appearance are used for a noun.

①先週は熱が40度も出た上に、下痢が止まらず、本当に大変でした。
②この道は下り坂でスピードが出やすい上に、夜間も交通量が多いので、十分注意してください。
③この大学の食堂は値段が安くておいしい上に、メニューも豊富なので、地域の人にも愛されている。
④工事現場の仕事は危険がともなう重労働である上に賃金も低いので、どの現場でも人手不足になっているらしい。

やってみよう！

▶答え 別冊P. 7

1）GDPを見ると、データ（a．上は　b．の上に）豊かになってきているわが国だが、国民の生活水準は高いとは言えず、その向上が今後の課題だ。

2）職場の上司がアパートを紹介してくれた（a．上は　b．上に）保証人にもなってくれた。

3）書類（a．上は　b．以上）給料が20万円となっているが、実際には16万しかもらえなかったから、改めて契約について会社に聞いてみようと思っている。

4）外資系企業は給料が高い（a．上は　b．上に）、長期休暇も取れるが、仕事が厳しいと言われている。

☞ p.220　～上／上

103　ラーメンといっても　★★★

どう使う？

「会社といっても妻と２人でやっている小さい会社です」のように、相手が想像したこと（社員がいる）に対して、「実際にはそうではない」と言いたいときに使う。

As in "会社といっても妻と２人でやっている小さい会社です", use this when you want to say "It's not actually like that" in response to what the listener has imagined (the company has many employees).

Pl ＋ ┌ **といっても**
　　　 └ **といいましても**

*「なA／N ＋ といっても」の形もある。

①

①１世帯といっても、一人暮らしの人から10人以上の大家族までいろいろある。

②A：夏休み、北海道に行ったんでしょう。うらやましいなあ。

　B：行ったといっても、４日だけですからあまりいろいろなところへは行けなかったんですよ。

③A：あれ？　雨が降ったの？　気がつかなかった。

　B：うん。降ったといっても30分ぐらいだったけど。

④A：来月の富士山日帰りバスツアーは席がまだありますか？

　B：はい、まだございますが、あるといいましても、残りわずかですので、お早めにご予約ください。

⑤A：あの店、CDが安いんだって？

　B：まあね。安いといっても10%だけどね。

やってみよう！

▶答え 別冊P. 7

1）アルバイト店員といっても、(　　　)。

a．店長と同じぐらい働いています

b．給料が安いです

c．一生懸命働きません

2）A：来週、この地域の集会があるんですが、一緒に行きませんか。地域の集会といっても、(　　　)。

B：そうですか。じゃ、私も参加してみます。

a．難しい話ばかりしていますから

b．お菓子を食べながら話し合う気楽な会ですから

c．会長をしていますから

3）A：風邪だって？ 大丈夫？

B：大丈夫だよ。風邪っていっても（　　　）。

a．病院へ行ってきたから

b．学校を休んだから

c．熱はないんだから

104 ラーメンはしょうゆに限る ★

どう使う？

「～に限る」は、「絶対～が一番いい」という自分の考えを表す。

" ～に限る " expresses your idea that " ～ is absolutely the best."

V-る ／ **V-ない** ／ **N** ＋ に限る

①運動の後は、はちみつとレモンのジュースに限る。

②雨の日は家で音楽でも聞きながら、のんびりするに限る。

③危険なところへは近づかないに限る。

④嫌なことは忘れるに限りますよ。

☞ p.223 ～に限る／限り

105　人気店だけあって　★★★

どう使う？

「〜だけあって」は、「〜だから、当然そうだ」と言いたいときに使う。
Use " 〜だけあって " when you want to say something "is a matter of course because of 〜 ".

V-る／V-た／V-ている
いA
なA　な
N（な）
＋ だけあって／だけに

＊「なA／N である ＋ だけあって」の形もある。
＊名詞は、状態や様子を表す言葉が使われるときは「な」がつく。
Add " な " to a noun that expresses a state or appearance.

①この町は文化遺産に登録されているだけあって、住民の環境保護に対する意識も高い。
②このタオル、高いだけあって肌ざわりがすごくいいんだ。
③さすが国が誇る美術館だけに世界的に有名な画家の作品も数多い。
④ドイツの高級車だけに高速道路を走ったときの安定感はすばらしい。

「〜だけに」は感覚的に「〜だから、さらに…と感じる」と言うときにも使われる。
★★
" 〜だけに " is also used when you say that you sense that something "feels even more … because of 〜 ".
①今年は猛暑なだけに、ビールがいっそうおいしく感じられる。
②新しいクラスに入って緊張していただけに、隣の人の親切がうれしかった。
③入社以来、会社に貢献できていなかっただけに、今回開発した商品がヒットしたのはうれしかった。

やってみよう！

▶答え　別冊P. 7

1）さすが彼は一流大学を出ている（a．だけあって　b．だけで　c．だけ）、知識が豊富だ。
2）食べ放題は好きなものを食べたい（a．だけあって　b．だけで　c．だけ）食べられるので、クラスの友達と集まるときはいつも食べ放題の店だ。
3）こちらは新しい化粧品で、これ（a．だけあって　b．だけで　c．だけ）お肌が美しくなります。

4）佐藤さんはまじめにがんばっていた（a．だけに　b．だけで　c．だけ）今回の失敗が相当ショックだったようだ。

5）最近はお湯を入れる（a．だけに　b．だけで　c．だけ）食べられる便利な食品が増えた。

☞ p.222 ～だけ

106 スープにしろ具にしろ ★★

どう使う？

「～にしろ」は、ある範囲内のものから例をあげて、「～だけでなくどれでも」と言いたいときに使われる。「いい・悪い」「好き・嫌い」「する・しない」「出席する・欠席する」など反対の意味の言葉を使って、どちらの場合でもと言いたいときにも使われる。

"～にしろ" is used when you want to give examples from a category and say that "not only ～ but all of them" are something. It is also used with pairs of antonyms such as "いい・悪い", "好き・嫌い", "する・しない" and "出席する・欠席する" when you want to say that something could be applicable in either case.

Pl ＋ ［にしろ／にしても／にせよ］ ＋ **Pl** ＋ ［にしろ／にしても／にせよ］

［**なA** ~~だ~~　**N** ~~だ~~］

＊「**なA**／**N** である ＋ にしろ」の形もある。

①東京にしろ大阪にしろ大都市には働く場所が多いので人が集まってくる。

②大学院で研究しようと思ったら、理系にしても文系にしても、英語力は絶対必要だよ。

③招待状をもらったら、出席するにせよ、欠席するにせよ、必ず期日までに返事を出すのが礼儀だ。

④好きにしろ、嫌いにしろ、健康のために野菜は毎日とらなきゃだめだよ。

「～にしろ」が、疑問詞と一緒に、１つだけで使われることもある。
" ～にしろ " can also be used only once in a sentence when used together with a question word.

①海外旅行中はどこに行くにしろ、パスポートを持って歩かなければならない。

②試験の結果がどうなるにせよ、今は精一杯の努力をするだけです。

③九州でも北海道でもいいけど、年末は飛行機の予約が取りにくいから、いずれにしろ行き先を早く決めないと間に合わなくなるよ。

やってみよう！

▶答え 別冊P. 7

1）隣の家は、犬（a．やら　b．にしろ）、猫（a．やら　b．にしろ）、様々なペットを飼っている。

2）犬（a．やら　b．にしろ）、猫（a．やら　b．にしろ）、このアパートではペットを飼うことができない。

3）何を買う（a．にしろ　b．につけ）、本当に必要かどうかよく考えてから買いなさい。

4）昔の友達との写真を見る（a．にしろ　b．につけ）いたずらばかりしていたことを懐かしく思い出す。

Check

▶答え 別冊P. 7

1）日本は物価が高い ＿＿＿＿＿、 全部高いわけではなくて、安いものもありますよ。

2）どんな事情がある ＿＿＿＿＿、犯罪は許されない。

3）京都は、昔、都だった ＿＿＿＿＿、古い文化が今も残っている。

4）彼は英語・中国語など４か国語が使える ＿＿＿＿＿、海外勤務の経験もあるので、わが社にとって貴重な人材だ。

上に　　といっても　　にしろ　　だけに

5）ネットで見つけた画像を無断で転載するのは犯罪行為 ＿＿＿＿＿。

6）外国旅行は団体で行く ＿＿＿＿＿ よ。言葉の心配もないし、短時間でいろいろなところへ行けるから。

7）リサイクルはごみを減らすための１つの方法 ＿＿＿＿＿。ごみを減らすのではなく、ごみが出ないようにすることも考えるべきだ。

に限る　　にすぎない　　にほかならない

まとめの問題 Review questions

▶答え　別冊P.18

問題１ 〈文法形式の判断〉

次の文の（　　）に入れるのに最もよいものを１・２・３・４から一つ選びなさい。

1　私の町は気候が温暖な（　　）、海の幸も山の幸も豊富で暮らしやすい。

1　のに　**2**　上は　**3**　以上　**4**　上に

2　食べ物を売る店は、どんな店（　　）衛生管理をきちんとしなければならない。

1　にしては　**2**　にしろ　**3**　につけ　**4**　ばかりか

3　このりんごは生産者の皆さんが自慢する（　　）、味も香りも抜群ですね。

1　にしても　**2**　といっても　**3**　だけあって　**4**　上に

4　被災地でボランティアをした（　　）、たった１日だけですから…。

1　ばかりでなく　**2**　というのに　**3**　というより　**4**　といっても

5　普通の社員（　　）私の意見など、経営陣は聞いてくれないと思うんです。

1　に限る　**2**　にすぎない　**3**　にしても　**4**　といっても

6　外国語を勉強するならその国に留学する（　　）と私は思う。

1　に限る　**2**　にほかならない

3　にすぎない　**4**　ばかりだ

問題2 〈文の組み立て〉

次の文の ★ に入る最もよいものを1・2・3・4から一つ選びなさい。

1　IT企業 ＿＿＿ ＿＿＿ ★ ＿＿＿ ではありません。

1　社員は　**2**　といっても　**3**　理系出身者　**4**　ばかり

2　彼女は今 ＿＿＿ ＿＿＿ ★ ＿＿＿ テレビにも出ている。

1　よく　**2**　バイオリニスト

3　注目の　**4**　だけあって

3　若年化する青少年犯罪の防止策は ＿＿＿ ＿＿＿ ★ ＿＿＿ 問題だ。

1　ばかりでなく　**2**　学校　**3**　社会全体で　**4**　考えるべき

4　宇宙から地球を見ると、国境など地図上に ＿＿＿ ＿＿＿ ★ ＿＿＿ と実感する。

1　にすぎない　**2**　書かれた　**3**　単なる　**4**　線

問題3 〈読解〉

次の文章を読んで問題に答えなさい。後の問いに対する答えとして最もよいものを、1・2・3・4から一つ選びなさい。

先日、ある企業コンサルティング会社の研修に参加した。研修の初めにいきなりキャンディが配られた。確かに今回の研修はお菓子業界に関係があるものだし、女性の参加者も多い。時間も少しお腹が空いてくる「おやつ」の時間だ。しかし、まじめな気持ちで研修に参加している私は、キャンディにしろチョコレートにしろ、大人がこのような場で口にするものではないと少々不快に思った。

ほかの参加者を見ると、女性ばかりでなく、男性も口に入れている。主催者側の人に勧められ、しかたなく私もキャンディを口に入れた。すると、疲れてボーッとしていた頭がすっきりした。周りを見ると、初対面の緊張がほぐれたのか、知らない人同士が和やかに話を始めているではないか。

それを見て、この研修で「おやつ」が出されている意味がわかった。最近話題の企業コンサルティング会社の研修だけあって、「おやつ」をうまく取り入れていると思った。

企業コンサルティングの会社は研修でどうして「おやつ」を出すのだと筆者は考えましたか。

1 お腹が空く時間に行われるから

2 甘いものが好きな女性の参加者が多いから

3 体にも心にもいい効果があるから

4 お菓子業界の宣伝の意味もある研修だから

問題4〈聴解〉

この問題では、まず質問を聞いてください。そのあと、問題用紙の選択肢を読んでください。読む時間があります。それから話を聞いて、問題用紙の1から4の中から、最もよいものを一つ選んでください。

1 55

1 希望の大学は競争率が高いこと

2 試験のとき、練習したことを全部忘れること

3 練習をしなかったこと

4 練習と違う質問をされること

2 56

1 高校の先生になってほしいと思っている

2 自分で決めてほしいと思っている

3 野球部の監督になってほしいと思っている

4 プロ野球の選手になるのに反対している

12 ビジネス場面の会話 Conversation in a Business Setting

ウォーキングシューズの開発（1）
Developing Walking Shoes (1)

できること

- 会議で説明したり、意見を言ったりできる。
  Give explanations and state your opinion in a meeting.

57

川口：今度、ミズノから「軽くて疲れない靴」が発売される**とか**…。

山下：軽量化という業界の流れ**にそって**、新製品が開発されていますからね。わが社もウォーキングシューズ**にかけては**、実績がありますが、違った視点で開発し**ないことには**新しいお客さんは獲得できないですよね。

川口：ウォーキングシューズというと、見た目より歩きやすさを重視し**がち**ですけど、女性としては、やっぱり買うときの決め手はデザインですね。歩きやすい靴がほしいと思い**つつも**、デザインを優先してしまう人が多いと思うんです。

山下：女性ですからね。

107 発売される**とか** ★★

どう使う？

「～とか言っていた」などの形で、聞いた情報を言うときに使われる。確かな情報ではないがという気持ちで使うことが多い。「言っていた」などの言葉を省略することもある。

This is used in forms such as " ～とか言っていた " when you state information you have heard. It is often used with the nuance that the information may not be solid. You can also omit words such as " 言っていた ".

Pl ＋ とか

①息子さんが今度結婚なさるとか。おめでとうございます。

②A：山田さん、今日休み？

　B：さっき電話があって、熱があるとか。大丈夫でしょうか。

③今年は花火大会、中止だとか。本当ですか。

④え！ 今日ハイキングに行くの!? テレビで台風が来るとか言ってたよ。

⑤天気予報によると、来週は暑さが厳しいとか。熱中症に注意が必要ですね。

やってみよう！

▶答え 別冊P. 7

（A）今年のゴールデンウィークは円高の影響で海外に行く人が多いとか。うらやましいですね。

（B）彼女はチョコレートとか、甘いものが大好きです。

例）今年の冬は寒さが厳しいとか。嫌ですね。
（ A ）

1）佐藤さんのおばあちゃんは75歳で山登りがご趣味だとか。お元気ですね。
（　　）

2）駅前にうちと同じような焼き肉屋ができるとか聞いたんですけど、うち、大丈夫ですかね。（　　）

3）休みの日にスポーツをするなら、ゴルフよりジョギングとかのほうがいいですよ。お金もかからないし。（　　）

4）部長：吉田君はまだ来てないの？

　小林：さっき電話があって、今日は取引先に寄ってから来るとか。
（　　）

5）中村君、アメリカに転勤するとか言ってたけど、引っ越しとか大変だろうね。
（　　）　（　　）

☞ p.223 ～とか

108　業界(ぎょうかい)の流(なが)れにそって　★★

どう使う？

「～にそって」は、「～の通りに」「～に合わせて」という意味で使われる。
" ～にそって " is used to mean "along", "in accordance with" or "as".

N ＋ [にそって / にそう / にそった] ＋ N

＊「マニュアル・方針(ほうしん)・案内・道順(みちじゅん)」などの言葉と一緒に使われる。「希望(きぼう)・要望(ようぼう)・意向(いこう)・期待(きたい) ＋ にそうよう」などの言い方もある。

①２人は夕暮(ゆうぐ)れの道を川にそって歩き続けた。

②お客様への対応(たいおう)はマニュアルにそって行(おこな)うこと。

③今度の展覧会(てんらんかい)では「平和(へいわ)」というテーマにそった作品を展示(てんじ)しています。

④国民の皆様のご期待(きたい)にそうよう、努力(どりょく)いたします。

やってみよう！

▶答え　別冊P. 7

1）都市開発計画(としかいはつけいかく)にそって、（　　　）。

　a．道路や公園が作られた

　b．住民が反対(はんたい)した

2）このレシピにそって作っていけば失敗(しっぱい)しないはずですから、（　　　）。

　a．レシピを見ないでください

　b．ちゃんと順番通(じゅんばんどお)りに作ってください

3）お配(くば)りした資料(しりょう)にそって、ただ今からご説明いたします。それでは（　　　）。

　a．まず１ページ目をご覧(らん)ください

　b．ご自由にご意見をおっしゃってください

109　ウォーキングシューズにかけては　★★

どう使う？

「～にかけては」は、「～の分野(ぶんや)では」と範囲(はんい)を限定(げんてい)して、その分野(ぶんや)では「最高レベルだ」「自信(じしん)がある」などと言いたいときに使われる。
" ～にかけては " is used when you want to say that when it comes to "the field / subject area of ～", you have "the highest level," are "confident" or the like.

N + にかけては

①日本酒造り（にほんしゅづく）にかけては彼の右に出る者はいない。

②コンピューターの知識（ちしき）にかけては誰（だれ）にも負（ま）けないつもりだ。

③伊藤（いとう）君は勉強も一番だが、走ることにかけてもクラスで一番だ。

やってみよう！

▶答え　別冊P. 8

1）この大学は就職率（しゅうしょくりつ）の高さにかけては（　　　）。

a．全国トップレベルだ

b．１年生のときからアドバイスしている

2）彼は映画俳優（はいゆう）だが、ピアノの演奏（えんそう）にかけても（　　　）。

a．興味（きょうみ）を持っている

b．すばらしい才能（さいのう）を持っている

3）日本の製造業（せいぞうぎょう）は、小さくて性能（せいのう）のいい機械（きかい）を作ることにかけては（　　　）。

a．最も実績（じっせき）がある

b．がんばるつもりだ

4）歌のうまさにかけては、（　　　）。

a．山田（やまだ）君がクラスで一番だ

b．声の大きさが大切だ

☞ p.224　～にかけて

110　開発（かいはつ）しないことには　★★★

どう使う？

「～ないことには…」は、「～なければ（…できない・わからない）」と言いたいときに使われる。

" ～ないことには…" is used when you want to say "if you don't do ～, then you can't / you won't know …".

V-~~ない~~ + ないことには

＊「N + が＋ないことには」の形も使われる。

①A：ここに若干名募集（じゃっかんめいぼしゅう）って書いてあるけど、何人ぐらい採用（さいよう）するのかなあ。

B：問（と）い合（あ）わせてみないことには、詳（くわ）しいことはわからないよ。

②もっと広い会場を借りないことには、観客（かんきゃく）を収容（しゅうよう）しきれないだろう。

③使っていただかないことには、この商品のよさはご理解いただけないので、サンプルをご用意させていただきました。
④マーケティング調査をしないことには売れる商品は開発できない。
⑤田舎では、車がないことには生活できない。

やってみよう！

▶答え 別冊P. 8

1）道路を整備しないことには、 ・　　・a）成績は上がらない。
2）予算が取れないことには、 ・　　・b）新商品開発の企画は進められない。
3）みんな無理だと言うけど、やってみないことには、 ・　　・c）観光客はこの町まで来てくれないだろう。
4）親が心配しても、本人がやる気にならないことには、 ・　　・d）だめかどうかわからない。

☞ p.221 ～こと

111 歩きやすさを重視しがちです ★★

どう使う？

「～がち」は、「忘れがち・病気がち」のように「～になることが多い」と言いたいときに使う。状態、様子を表す慣用的な言い方もある。
Use " ～がち " when you want to say that someone "often does / is ～ " as in "忘れがち・病気がち". There is also an idiomatic usage to express a state or appearance.

V-~~ます~~ ／ N ＋ がち

＊「休む・思う・考える・心配する・留守」などの言葉と一緒に使われる。

①日本人は自分の意思をはっきり言わないので誤解されがちだ。
②普段の食生活で不足しがちなカルシウムを補うには魚の缶詰がいいそうです。
③祖母は病気がちの母の代わりに私たち兄弟の世話をしてくれた。
④初めて会ったとき、鈴木君は遠慮がちに私の電話番号を聞いた。
⑤彼は差し出された手紙を戸惑いがちに受け取った。

やってみよう！

▶答え　別冊P. 8

1）コンビニへ行くと余計なものまで買ってしまいがちなので、 ・

2）親は子どものすることに口を出しがちだが、 ・

3）人は水のありがたさを忘れがちだが、 ・

4）外食では栄養が偏りがちなので、 ・

・a）私は砂漠へ行って、改めてその大切さに気づいた。

・b）１回の買い物は500円までと決めています。

・c）最近健康のことを考えて自炊する人が増えている。

・d）それでは子どもが自立できない。

112　ほしいと思い**つつも**

どう使う？

「〜つつも」は、「たばこは体に悪いからやめようと思いつつも、つい吸ってしまう」のように、「〜だけれども（やめようと思うけれども）、実際はよくないこと（吸う）をしてしまう」という気持ちを表す。

As in "たばこは体に悪いからやめようと思いつつも、つい吸ってしまう", "〜つつも" expresses the feeling that "although 〜 (I thought I should quit), something undesired actually happened (I smoked)."

V-~~ます~~ ＋ つつも

＊「も」を省略して、「〜つつ」の形でもよく使われる。

①チョコレートを食べたらにきびが増えると知りつつも、つい手が伸びてしまうんです。

②「にせものでは…？」と疑いつつも、安さにひかれて買ってしまった。

③早く寝ようと思いつつ、ゲームがやめられなくて、夜が明けてしまった。

④今日こそ歯医者に行かなければと思いつつ、忙しくて行けなかった。

☞ p.223　〜つつ

Check

▶答え　別冊P. 8

1）最近、学校、休み ＿＿＿＿＿＿ だけど、体調悪いの？

2）アスクホームズは不動産売買 ＿＿＿＿＿＿ 長年の実績があるので、信頼できるだろう。

3）A：Bさん、入院なさっていた ＿＿＿＿＿＿。もう、大丈夫ですか。

B：はい、おかげさまで。

4）許可が下り ＿＿＿＿＿＿ 留学できませんよ。

5）この組み立て方の手順 ＿＿＿＿＿＿ やれば、初心者でも簡単に組み立てられます。

6）買っても当たらないと思い ＿＿＿＿＿＿、毎回宝くじを買っている。

にかけては　　つつも　　とか　　にそって　　ないことには　　がち

ビジネス場面の会話 Conversation in a Business Setting

12 ウォーキングシューズの開発（2）

Developing Walking Shoes (2)

できること

● 会議で説明したり、意見を言ったりできる。

Give explanations and state your opinion in a meeting.

58

川口：ええ。だから新商品を作る**としたら**、ファッション性も重視しないと。

山下：おしゃれで、疲れない靴ということですよね。

川口：ええ。作る以上は、今までにないものを作りたいですね。

山下：デザイン**次第**で、ヒット商品になりますよ。

川口：この業界も競争が厳しくなる**一方**ですけど、ニーズに合った商品なら絶対売れますよね。

山下：それじゃ、新製品の開発**に先立って**、アンケート調査が必要になりますね。

川口：そうですね。市場調査をした**上で**、若い社会人の声**にこたえた**「見た目もよくて機能性抜群」の商品を考えましょう。

107 ～ 118

113 新商品を作る**としたら** ★★★

どう使う？

「～としたら…」は、「～だと考えれば…」という意味で、自分の意見や予想を言いたいときに使う。

Use " ～としたら… ", meaning "imagine if ～ , …," when you want to state a personal opinion or prediction.

Pl ＋
- としたら
- とすると
- とすれば

①もし、生まれ変われるとしたら、私は鳥になりたい。

②家を買うとしたら、郊外の庭付きの一戸建てがいい。

③A：警部、犯人が持っていた絵はにせものだったそうですよ。

　B：うーん。盗まれた絵がにせものだったとすれば、本物は誰が持っているのだろう？

④A：山田さん、来週は出張で講英社の出版記念パーティーに出られないんだって。

　B：困ったな。山田さんが出席できないとすると、誰かに代わりに行ってもらわなきゃ。

やってみよう！

▶答え　別冊P. 8

1）A：伊藤さんの結婚祝い、（a. あげるとしたら　b. あげたら）何がいいかな？

　B：何でもいいんじゃない？ 私はデパートで見つけたかわいい食器を送ったけど…。

2）先週の日曜日、映画を見に（a. 行くとしたら　b. 行ったら）先生も来ていて、びっくりした。

3）彼と映画を見に（a. 行くとしたら　b. 行ったら）、ロマンチックな映画よりホラー映画がいい。

4）10時までに（a. 来ないとしたら　b. 来なかったら）、先に出発しますから、あとから来てください。

114　デザイン次第で 

どう使う？

「忘年会は予算次第で５つのコースから選べる」のように、「～（予算）」によって決まることを表す。

As in " 忘年会は予算次第で５つのコースから選べる ", this states that something is decided according to " ～ (the budget). "

N ＋ 次第

①登山ルートは天候次第で変更する場合もありますので、ご了承ください。

②今度の審査の結果次第で、国から研究資金がもらえるかどうか決まる。

③世の中は金次第だと言われるが、お金では買えないものもある。

④工事開始時期がいつになるかは、発注した材料の納期次第だ。

☞ p.222　～次第

115　厳しくなる一方です　★★

どう使う？

「〜一方」は、「景気が悪くなる一方だ」のように「〜の状態がどんどん進んでいく」と言いたいときに使う。

Use " 〜一方 " when you want to say that "situation 〜 is going to continue" as in " 景気が悪くなる一方だ ".

V-る ＋ 一方

＊変化を表す動詞が使われる。

A verb that expresses change is used.

①ここは静かな町だったのに、テレビで紹介されて以来、観光客が増える一方だ。

②風雨は強まる一方で、漁に出た漁船がまだ帰らず、関係者は心配している。

③グローバル化が進んで、語学力の必要性は高まる一方だ。

やってみよう！

▶答え　別冊P. 8

例1）彼女は歌手として活躍する一方、最近、映画にも出始めた。

（　A　）

例2）不況で収入が減る一方だ。

（　B　）

1）政治家の汚職事件が続き、政府に対する信頼は薄れる一方だ。

（　　　）

2）新製品の紹介のために、インターネットで広告を流す一方で、直接店頭でサンプルの手渡しも行っている。　（　　　）

3）物価が上がる一方で、留学生の生活も大変だろうと思う。

（　　　）

☞ p.220　〜一方

Plus

〜ばかり　★★

「**V-る**　＋　ばかり」も同じ意味で使われる。

①円高が進んで、景気が悪くなるばかりだ。

②部屋代、学費、生活費と出費は増えるばかりだ。

☞ p.224　〜ばかり

116 開発に先立って

どう使う？

「～に先立って」は、「～の前に、何かが行われる」と言いたいときに使われる。
" ～に先立って " is used when you want to say "something will be done before ～ ".

N ＋ ┌ に先立って
　　 ├ に先立ち
　　 └ に先立つ ＋ N

①レストランの開店に先立って、試食会が開かれた。

②新しい機械の導入に先立ち、工場内で説明会が行われた。

③舞台公演に先立つ公開リハーサルに多くの報道関係者が集まった。

やってみよう！

▶答え　別冊P. 8

1）国王の来日（a．に先立って　b．につれて）警備体制が見直された。

2）入社試験（a．に先立つ　b．にわたる）会社説明会に1,000人が集まった。

3）台風の接近（a．に先立って　b．にともなって）風雨が強くなった。

4）交通機関の発達（a．に先立って　b．とともに）人々の行動範囲も広がっていった。

117 市場調査をした上で

どう使う？

「～上で」は、「～してから」と同じ意味で使う。ただし、日常的な話題には使わない。
" ～上で " has the same meaning as " ～してから ". But do not use it to talk about a familiar topic.

V-た ┐　　┌ 上で
N の ┘ ＋ └ 上（で）の ＋ N

①駅前の再開発については、住民の皆さんの意見をまとめた上で、
市に要望書を提出したいと思います。

②卒業後の進路は家族とよく相談した上で、決めたいと思います。

③契約書の内容をご確認の上、こちらに署名と印鑑をお願いいたします。

④来年度の留学生の受け入れに関しては、十分検討した上で結論を出したいと思います。

やってみよう！

▶答え 別冊P. 8

1）A：食事、どうする？

B：ゆっくり食べたいから、映画を見た（a．上で　b．後で）食事しようよ。

2）どんな仕事につくかはよく考えた（a．上で　b．あげく）決めたほうがいいですよ。

3）担当の者とよく相談した（a．上で　b．きり）後日、お返事させていただきます。

4）調べた（a．上で　b．限り）当社の製品には構造上の欠陥はありませんでした。

☞ p.220 ～上／上

118 社会人の声にこたえた ★★

どう使う？

「～にこたえて」は、「相手からの期待や要請の通りに」と言いたいときに使う。

Use " ～にこたえて " when you want to say "according to another person's expectation or request."

N ＋ ［ にこたえて / にこたえた ＋ N ］

＊「期待・要望・要請・アンコール・リクエスト・声援・声」などの言葉と一緒に使われる。

＊「ご N ＋ におこたえして」の形もある。

①そのアイドルはコンサートの最後にアンコールにこたえてもう1曲歌った。

②地域住民の要望にこたえて、循環バスの経路を変更することにした。

③ワールドカップで大川選手はサポーターの声援にこたえて大活躍した。

④皆様のご要望におこたえして、営業時間を午後11時までといたしました。

やってみよう！

▶答え 別冊P. 8

1）このドラマは、もう一度見たいという視聴者の声（a．にこたえて　b．に応じて）再放送されることになった。

2）本田君は部長の期待（a．にこたえて　b．に応じて）今月トップの業績を上げた。

3）高級な寿司屋はその日の魚の仕入れ値（a．にこたえて　b．に応じて）値段を決めている。

Check

▶答え 別冊P. 8

1）ごみ焼却場（しょうきゃくじょう）の移転（いてん）については、十分に議論（ぎろん）した ＿＿＿＿＿ 決めていただきたい。

2）こちらの商品（しょうひん）は、「品質（ひんしつ）のよいものをできるだけ安く」という消費者（しょうひしゃ）のニーズ ＿＿＿＿＿、開発（かいはつ）された新製品（しんせいひん）です。

3）ビルの解体（かいたい）工事 ＿＿＿＿＿、近隣（きんりん）住民への説明会が開かれた。

4）A：時間があれば、そちらに伺（うかが）いたいと思っているんですが…。

B：いらっしゃる ＿＿＿＿＿ 何時ごろになりますか。

5）この仕事を引き受けるかどうかはあなたの気持ち ＿＿＿＿＿ です。

6）就職（しゅうしょく）したらお金を貯（た）めて海外旅行に行きたいと思ったが、長い休みが取れず、夢（ゆめ）は遠（とお）ざかる ＿＿＿＿＿ だ。

に先立（さきだ）って	次第（しだい）	一方（いっぽう）	としたら	上（うえ）で	にこたえて

まとめの問題 Review questions

▶答え 別冊P.18

問題1 〈文法形式の判断〉

次の文の（　　）に入れるのに最もよいものを1・2・3・4から一つ選びなさい。

1　甘いものはつい食べすぎてしまい（　　　）ですが、健康を考えるとあまり食べないほうがいいでしょう。

1 がち　**2** げ　**3** しだい　**4** たい

2　性能がいいと言われても、実際に（　　　）ことには本当にいいかどうかわからない。

1 売ってみる　**2** 売ってみない　**3** 使ってみる　**4** 使ってみない

3　工場建設（　　　）、部長は打ち合わせのためにロシアへ向かった。

1 において　**2** に先立って　**3** にわたって　**4** につけ

4　もし明日死ぬ（　　　）今日1日何をして過ごしたいですか。

1 としたら　**2** ことなく　**3** 上で　**4** ものの

5　私はケーキ作り（　　　）誰にも負けないと思っている。

1 にともなって　**2** に先立って　**3** にしたがって　**4** にかけては

6　卒業式はこのプログラム（　　　）行いますので、よろしくお願いします。

1 に先立って　**2** とともに　**3** にそって　**4** に関して

7　商品の価格は、売れ残りなどのリスクを考えた（　　　）設定されるものである。

1 としたら　**2** 上で　**3** にすぎず　**4** わりに

8　この地域は水不足で、砂漠化が進む（　　　）。

1 ことはない　**2** というものだ

3 一方だ　**4** わけにはいかない

問題2〈文の組み立て〉

次の文の ＿★＿ に入る最も よいものを1・2・3・4から一つ選びなさい。

[1] 彼は ＿＿＿ ＿＿＿ ＿★＿ ＿＿＿ と言われている。

1 笑わせること **2** にかけては **3** 人を **4** 天才だ

[2] 悩みを ＿＿＿ ＿＿＿ ＿★＿ ＿＿＿ しようがない。

1 アドバイスの **2** 相談されても **3** わからないことには **4** 詳しい事情が

[3] 有給休暇は ＿＿＿ ＿＿＿ ＿★＿ ＿＿＿ 申請してください。

1 上司の **2** 得た **3** 上で **4** 許可を

問題3〈文章の文法〉

次の文章を読んで、文章全体の内容を考えて、[1] から [4] の中に入る最もよいものを、1・2・3・4から一つ選びなさい。

最近、健康にいいと言われる食品や栄養補助食品だけを食べる「偏食症」が急増しています。本人は体にいいものを食べていると思っているので、まったく危機感がないのが特徴です。野菜ジュースや納豆は「体にいい」から、それさえ食べれば健康に生活できると思い [1] です。でも「体にいい」と信じてそれだけを食べている [2] 、大きな間違いです。
健康を気にする人のニーズ [3] 様々な栄養補助食品が売られたりしていることもその原因の1つかもしれませんが、栄養のバランスを考えた [4] 本当に体によい食事をとるようにしましょう。

[1] **1** きり **2** げ **3** がち **4** かけ

[2] **1** ばかりで **2** かのように **3** だけあって **4** としたら

[3] **1** にこたえて **2** に先立って **3** としたら **4** にかけては

[4] **1** としたら **2** 次第で **3** 上で **4** かと思うと

問題4 〈聴解〉

1　この問題では、まず話を聞いてください。それから二つの質問を聞いて、それぞれ問題用紙の１から４の中から、最もよいものを一つ選んでください。

| 1 |

59

1　日本以外の国でも魚がよく食べられていること
2　マグロやサケなどは人気があること
3　日本人が昔から様々な魚を食べてきたこと
4　いろいろな種類の魚を食べるべきだということ

| 2 |

1　マグロの値段が上がっているため
2　マグロの数が減っているため
3　海の生き物のバランスを取るため
4　小さい魚がえさになるため

2　この問題では、問題用紙に何も印刷されていません。この問題は、全体としてどんな内容かを聞く問題です。話の前に質問はありません。まず話を聞いてください。それから、質問と選択肢を聞いて、１から４の中から、最もよいものを一つ選んでください。

1　2　3　4

60

3　この問題では、問題用紙に何も印刷されていません。まず、文を聞いてください。それから、それに対する返事を聞いて、１から３の中から、最もよいものを一つ選んでください。

| 1 | **1　2　3**

| 2 | **1　2　3**

62

13 ストーリーを読む Reading a Story

人生の転機（1） A Turning Point in One's Life (1)

できること

- ストーリーの展開を追って読める。
  Follow the plot and read a story.
- 登場人物の心情が理解できる。
  Understand how the characters feel.

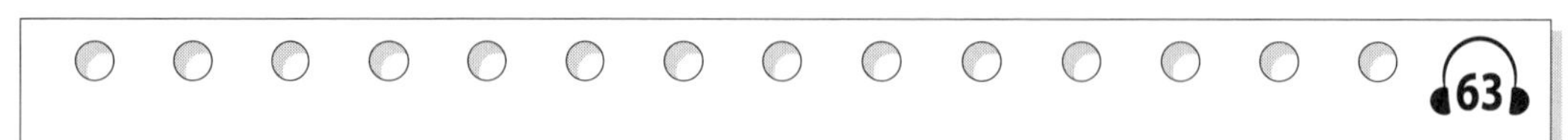

63

「課長昇進の話はなかっ**たことにする**」と部長に告げられたのは3か月前だった。自分では精一杯がんばった**つもり**だったが、プロジェクトに失敗し、大きな損害を出したのが原因だ。出社しても、毎日がつらく**てならなかった**。できる**ものなら**、違う世界へ行ってしまいたいと思いながら、日々を過ごしていた。

蒸し暑いある晩、俺は散歩していた。住宅もほとんどない真っ暗な道を歩いていると、向こうの一軒屋の2階の窓に明かりが見えた。

「あれ？　確かあそこは空家のはずだ」不審に思いつつ近づいていくと、突然「キャー」という若い女性の悲鳴が聞こえた。そして男女の争う声。「やめて！」「うるさい！　黙れ！」

もしかして、事件か。こんなときに限って、携帯をうちに置いてきてしまった。行**こうか**行く**まいか**迷った**末**、俺はその家に近づいていった。そしてその家のドアの前まで来たとき、「あのかばんはどこだ！　言え！」という低い男の声。そして「助けてー！」という女性の声――。

119 昇進の話はなかったことにする ★★

どう使う？

「犯行時間に一緒に飲んでいたことにしてくれ」のように、自分に都合のいいように事実を変えて言うときに使われる。

This is often used when you alter the facts to suit your situation as in "犯行時間にいっしょに飲んでいたことにしてくれ".

V-た／V-ない かった ＋ ことにする

①私が日本にいる間に、家族がドイツへ旅行に行ったなんて、聞かなかったことにしたいなあ。

②ごめん！ 財布落としちゃって…。食事をおごる話はなかったことにしてくれる？

③友達にもらった写真を自分で撮ったことにして、コンテストに応募して入賞しちゃった人がいたらしいよ。

④A：レポート、明日締め切りなんて、忘れちゃってた。どうしよう！ ネットで調べたものをコピペして自分で書いたことにするしかないわ。

B：そんなことしても、すぐばれるに決まってるよ。

119〜131

やってみよう！

▶答え 別冊P. 8

1）ぼくは審判だから、反則をしたのを（a．見た　b．見なかった）ことにするわけにはいかないよ。

2）子どものとき、嫌いなおかずをいつも犬にやって自分で（a．食べた　b．食べなかった）ことにしていたのを母は知らなかった。

3）宿題は自分でしましょう。ほかの人の宿題を写して、（a．やった　b．やらなかった）ことにしても、先生はすぐわかりますよ。

4）橋本君は親には友達のうちで（a．勉強していた　b．勉強していなかった）ことにして、朝までカラオケで遊んでいたらしいよ。

☞ p.221 〜こと

120 がんばったつもりだった ★★

どう使う？

「〜つもり」は、周囲の評価や事実はともかく、「本人は〜と思っている」と言いたいときに使う。
Use " 〜つもり " when you want to say "he or she is thinking 〜 ", not about what others think or the facts.

V-る ／ V-た
V-て いる ＋ つもり
N の

①説明書通りにやっているつもりなのに、どうしてもうまくできない。

②会議中にちょっとささやいたつもりが、みんなに聞こえてしまって、恥ずかしかったよ。

②

③あの人は小説家のつもりらしいけど、書いた小説が出版されたという話を聞いたことがない。

やってみよう！

▶答え 別冊P. 8

1）レポートを出す前にちゃんとチェックしたつもりだったのに、・
2）目覚まし時計を７時にセットしたつもりだったが、・
3）冗談のつもりで言った言葉が、・
4）子どものときからの友達だから、何でも知っているつもりだったが、・

・a）突然会社をやめて外国へ行くと言われて驚いた。
・b）先生から漢字が間違っていると言われた。
・c）鳴ったのは８時で、遅刻してしまった。
・d）相手を傷つけることがあるので注意しましょう。

☞ p.223 〜つもり

121 つらくてならなかった ★★

どう使う？

「〜てならない」は、「非常に〜だ」と言いたいときに使われる。
" 〜てならない " is used when you want to say something "is extremely 〜 ".

V-て
いA ~~い~~くて
なA で
+ ならない

＊「残念・不安・心配・つらい・くやしい」など、感情を表す言葉と一緒に使う。
Use this together with words that express feelings such as "残念・不安・心配・つらい・くやしい".
＊「きれい・下手」など評価を表す言葉と一緒には使わない。Do not use it with words that assess such as "きれい・下手".

①私のように年をとってくると、ふるさとの山々が懐かしく思い出されてならないんですよ。
②柔道を始めたのは、子どものころいつもけんかで兄に負けるのが、くやしくてならなかったからです。
③昔は人前で話すのが嫌でならなかったんですが、最近はあまり抵抗を感じなくなりました。
④日本人がどうしてあんなに謝るのか不思議でならないという外国人は多い。

やってみよう！

▶答え 別冊P. 8

1）あのとき親に反対されてもバンドを続けていれば、おれもあいつらと一緒に大成功していたかもしれないと（a．思えてならない　b．思いかねない）。
2）こんなに乾燥していると、山火事が（a．起きてならない　b．起きかねない）と関係者は心配している。
3）A：私より仕事のほうが好きなんでしょ？
　B：そんなこと、（a．思えてならない　b．思うはずがない）だろ。
4）部活は楽しいが、朝の練習は（a．眠くてならない　b．眠いはずがない）。

122 できるものなら ★★

どう使う？

現実には無理だと思っていることを強く希望するときに使う。会話では「もんなら」になる。
Use this when you very much want something that you actually think is impossible. It becomes "もんなら" in casual conversation.

V-できる ＋ ものなら / もんなら

＊可能の意味を持つ動詞の辞書形も使われる。
Dictionary forms of verbs that indicate possibility are also used.

①子どものころから星が好きだったので、行けるものなら宇宙旅行に行ってみたいと思っています。

②こんなつらい仕事は辞められるものなら辞めたいが、生活のことを考えると辞めるわけにはいかない。

③下山できるものなら一刻も早く下山したいが、天候が回復するまで待つしかない。

④A：今帰りですか。お互いに、通勤に１時間半なんて、大変ですよね。

B：そうですよね。買えるもんなら会社の近くにマンションでも買いたいけど…。

⑤不老不死の願いがかなうものなら、私はいくらでも金を出す。

やってみよう！

▶答え　別冊P. 8

1）結婚できる（a．ものなら　b．ものの）彼女と結婚したいが、こんなに給料が安くては無理だろう。

2）技術的には可能な（a．ものなら　b．ものの）コストがかかるから製品化は難しいでしょう。

3）相手の都合を気にする（a．ものなら　b．ことなく）自分の好きなときに連絡できるので、メールは便利だ。

4）オリンピックでメダルが取れる（a．ものなら　b．だけあって）取りたいが、ライバルが多いから無理かもしれない。

☞ p.224　～もの／もん

123　行こうか行くまいか 

どう使う？

どうしようか迷っていると言いたいときに使う。

Use this when you want to say you are uncertain about what to do.

V-よう ＋ か ＋ **V-る** ＋ まいか

①彼は夏休みに国へ帰ろうか帰るまいかと悩んでいるらしい。

②子犬が渡ろうか渡るまいかと小川の前でうろうろしている。

③会議中に居眠りした部長を起こそうか起こすまいか悩んで、結局起こさなかったんですが、どうすればよかったんでしょうか。

②

④両親は姉に就職試験の結果を聞こうか聞くまいか迷っているようだ。

☞ p.224 ～まい

124 迷った末 ★★

どう使う？

「～末…」は、「長い間～をして（最後に…という結果になった）」と言いたいときに使う。実際に長くなくても、話者にとって「長く感じられた」という場合にも使う。
Use "～末…" when you want to say "after doing ～ for a long time (in the end the result was …)" You can also use it even if it did not take a long time because it "felt long" to the speaker.

V-た ／ N の ］＋ 末（に）

①家族ともよく話し合った末、今年度限りで引退することに決めました。
②この商店街で30年がんばってきましたが、悩んだ末に店を閉めることにしました。
③すぐに天職と思える仕事につける人もいるが、何回かの転職の末、やりがいのある仕事を見つける人もいる。
④どの会社のパソコンがいいか、みんなに相談し、さんざん迷った末、やっぱり今使っているのと同じメーカーのを買うことにした。

やってみよう！

▶答え 別冊P. 8

1）自分の将来について悩み、いろいろ考えた（a. 際に　b. 末に　c. あげくに）日本に留学することにした。
2）ここは、幼少期から働きに出され、苦労を重ねた（a. 際に　b. 末に　c. あげくに）パナソニックを築いた松下さんの記念館です。
3）友達は、飲みすぎて電車で寝てしまい、終点まで行った（a. 際に　b. 末に　c. あげくに）財布をなくしたから迎えに来てくれと電話してきた。
4）アパートの契約をする（a. 際に　b. 末に　c. あげくに）契約書の内容を詳しく説明してもらった。

Check

▶答え 別冊P. 8

1）私が心配 ＿＿＿＿＿ のは、両国の関係が悪化することです。

2）人生をやり直せる ＿＿＿＿＿、やり直したい。

3）高校卒業後どうしようかと悩んだ ＿＿＿＿＿、進学しないで就職することに決めた。

4）坂本さんったら、病気になった ＿＿＿＿＿、会社を休んで友達と旅行に行ったんだって。

5）ヘアスタイルを変えて、変身した ＿＿＿＿＿ なのに、誰も気づいてくれなかった。

6）すてきなドレスだったが、買おうか買う ＿＿＿＿＿ と迷っているうちに売れてしまった。

でならない	末	ことにして	まいか	つもり	ものなら

13 ストーリーを読む Reading a Story

人生の転機（2） A Turning Point in One's Life (2)

できること

- ストーリーの展開を追って読める。
  Follow the plot and read a story.
- 登場人物の心情や決意表明などを理解できる。
  Understand how the characters feel, their expressions of determination and the like.

64

たとえどんな事情があっ**ても**、男2人で女性に暴力を振るうなんて許し**がたい**奴らだ。絶対助け出す。俺は勇気を出して、2階へ続く階段を上った。

突き当りの部屋のドアから光が漏れている。俺はドアを思い切り開けて部屋に飛び込んだ。そして叫んだ。「やめろ！ やめるんだ！」俺は入口にいた男が止めるの**もかまわず**彼女の横にいた男の腹にパンチを入れた。

「カット！」

眩しい光の中で「誰だ、お前は!?」と低い声の男が俺に問いかけた。その横でカメラを持った男が驚いた顔で俺を見ていた。「あれ？ これって、映画？」恥ずかしさの**あまり**、逃げ出したくなった俺に、低い声の男が聞いた。「今の、もう1回できるか？」

俺は戸惑いながら、言われた通りになぐった。「違う！ もっと気持ち**を込めて**やってみろ！ …そうだ、いいぞ」

〜〜〜〜〜〜

あれから、半年。俺は会社を辞めて、今は自主製作映画の主役だ。主役といっても荷物運び**も**すれ**ば**切符**も**売る。生活は大変だが、俺はこの出会いに心から、ありがとうと言いたい。何があってもあきらめないでやり**ぬく**ぞ。

119〜131

125　たとえどんな事情があっても　★★★

どう使う？

「たとえ～ても」は、「もし～ても」という意味で、「どんな場合でも」と強く言いたいときに使う。
Use " たとえ～ても ", meaning "even if ～ ", when you want to strongly say "no matter what situation."

たとえ ＋
- V-て　も
- いA　~~い~~くても
- なA　でも
- N　でも

①子どもがいるので、たとえ給料が高くても、土日に休めない仕事はしたくない。

②たとえ遠く離れていても、君の友情は決して忘れない。

③たとえどんなに困難でも、チョモランマの山頂に立ってみたいと思っている。

④たとえどんなに小さい子どもでも、悪いことをしたら、謝らなければならないことを教える必要がある。

やってみよう！

▶答え　別冊P. 9

1）たとえ嫌いなものが入っていても、・

2）たとえどんなに難しい試験でも、　・

3）たとえ治療費がいくらかかっても、・

4）たとえお世辞だとわかっていても、・

・a）命が助かるなら、かまいません。

・b）あきらめないで努力すべきだ。

・c）ほめられればうれしいものだ。

・d）愛する彼女が作ったものは残さず食べる。

126　許しがたい　★★

どう使う？

「～がたい」は、「～するのは難しい、なかなか～することができない」という意味で使う。
Use " ～がたい " to mean "doing ～ is difficult; probably can't do ～ ".

V-~~ます~~ ＋ がたい

＊「信じる・理解する・納得する・認める・得る・許す・忘れる」などの言葉と一緒に使われる。

①この条件では、鈴木商事からの合併の申し出は受け入れがたい。

②信じがたいことだが、あのおとなしい高橋さんが上司の命令に逆らったというのは事実らしい。

③脱サラして会社を始めてもう３年が過ぎたが、まだ経営が安定しているとは言いがたい状況だ。

④いい記録を出すために薬物を使用するのは、フェアプレイの精神に反する許しがたい行為だ。

やってみよう！

▶答え　別冊P. 9

1）最近の政府の方針は、私たち国民には
（a．理解しがたい　b．理解する恐れがある）。

2）この道は歩道が狭くて（a．歩きがたい　b．歩きにくい）。

3）誰でも他人をうらやましいと思う感情があるのは
（a．否定しがたい　b．否定にすぎない）事実だ。

4）履歴書に職歴を書く欄があるが、アルバイトしかしたことがないので
（a．書きがたい　b．書きようがない）。

127　男が止めるのもかまわず　★

どう使う？

「〜もかまわず…」は、「普通は気にしたほうがいいことを、無視して…する」と言いたいときに使う。批判的に使うことが多い。

Use "～もかまわず…" when you want to say "do … while ignoring that it is something one would normally be concerned about." It is often used to criticize.

N ＋ もかまわず

①住民の迷惑もかまわず、夜中にバイクで走りまわるのはやめてほしい。

②電車の中で人目もかまわず、お化粧するのはどうかと私は思う。

③彼女は服が汚れるのもかまわず、泥だらけの子犬を抱き上げた。

④ぼくたちは虫に刺されるのもかまわず、森の中で毎日遊んでいた。

⑤最近このあたりは観光客が増え、ところかまわずごみを捨てる人もいるので掃除が大変だ。

②

128 恥ずかしさのあまり

どう使う？

「～あまり…」は、「非常に～で（…の結果になった）」と言いたいときに使う。よくない結果のときに使うことが多い。

Use " ～あまり…" when you want to say someone "did … an extreme amount, which resulted in ～ ". It is often used when the result is not good.

V-る
なA な　　＋ あまり
N の

＊「心配・うれしさ・悲しさ・緊張」などの感情を表す言葉と一緒に使われる。
This is often used together with words that express feelings such as "心配・うれしさ・悲しさ・緊張".

①弟の病気を心配するあまり母は食欲がなくなり、すっかりやせてしまった。

②彼は仕事熱心なあまり、土日も休もうとしないので、周囲の人を心配させている。

③恋人を亡くした彼女は悲しみのあまり部屋に閉じこもってしまった。

④電車の中で足を踏まれて、痛さのあまり声も出なかった。

やってみよう！

▶答え 別冊P. 9

1）衝撃的な映像がテレビに映し出され、彼は驚きのあまり（　　　）。

a．椅子に座ってテレビを見た

b．持っていたコップを落としてしまった

2）毎日仕事に追われ、忙しさのあまり（　　　）。

a．結婚記念日を忘れてしまった

b．結婚記念日にパーティーをした

3）入学試験で緊張のあまり（　　　）。

a．解答欄を間違えてしまった

b．問題は非常に難しかった

4）２代目社長は失敗を恐れるあまり（　　　）ので、このままでは会社がだめになってしまうと社員は心配している。

a．新しいことに挑戦する

b．何も改革をしない

129 気持ちを込めて ★★

どう使う？

「～を込めて…」は、「愛情、思いなどの気持ちを入れて（…する)」という意味で使う。
Use " ～を込めて…" to mean "do … with a lot of love, thought or the like."

N ＋ を込めて

＊「心・愛・親しみ・祈り・恨み・怒り」などの言葉と一緒に使われる。

①当店では１つ１つのお菓子を、心を込めて手作りしております。

②クラスメートはお互いに親しみを込めてニックネームで呼び合っている。

③あなたの大切な方に、愛を込めてダイヤモンドをプレゼントしてはいかがでしょうか。

④早く病気が治るように願いを込めて、入院している友達のためにみんなで千羽鶴を折った。

④

119 ～ 131

やってみよう！

▶答え 別冊P. 9

1）母の誕生日に心（a．を込めて　b．にこたえて）セーターを編んだ。

2）両親を殺された男は恨み（a．を込めて　b．に先立って）犯人をにらみつけた。

3）彼女は故郷への思い（a．を込めて　b．につれて）その曲を作ったそうだ。

4）学生たちは計画（a．を込めて　b．にそって）発表会の準備を進めた。

130 荷物運びもすれば切符も売る ★★

どう使う？

プラスイメージの言葉を重ねて「よい点が多くある」と言うときと、マイナスイメージの言葉を重ねて、「悪い点が多くある」と言うときに使われる。「家で食べる日もあれば外で食べる日もある」のように、「いろいろある」という意味を表すこともある。
This is used with positive words to say there are many good points about something, or with negative words to say there are many bad points about something. It can also express variety as in " 家で食べる日もあれば外で食べる日もある ".

N + も + [V-ば / いA ~~い~~ければ / なA なら] + N + も

①今度できたスーパーは品数も多ければ値段も安いので、大人気だ。

②私は料理も下手なら掃除も苦手で、家事で得意なものは何もないんです。

③このバスツアーは4,980円で、昼食の食べ放題もあればお土産もついていますから、たいへんお得です。

④長い人生、いいときもあれば悪いときもあるよ。

⑤5月は気温が25度以上になる日もあれば、20度以下で肌寒い日もある。

やってみよう！

▶答え 別冊P. 9

1）ABC商事は給料も（a．高けれ　b．低けれ）ば、福利厚生も（a．よい　b．悪い）ので就職を希望する学生が多い。

2）この辺は海水浴も（a．できれば　b．できなければ）山登りも（a．楽しめる　b．楽しめない）から、最近人気が出てきているんですよ。

3）最近はインターネットで何でもできるので、新聞も（a．読め　b．読まなけれ）ばテレビも（a．見る　b．見ない）人が増えているそうだ。

4）どの国にもいい人もいれば悪い人も（a．いる　b．いない）。

131 やりぬくぞ ★★

どう使う？

「～ぬく」は、「苦しくても最後までがんばって～をする」という意味で使われる。また、「非常に～する」という意味を表すこともある。

" ～ぬく " is used to mean "I'll do my best to do ～ to the end, even if it's difficult." It can also express "do ～ an extreme amount."

V-~~ます~~ + ぬく

*「やる・生きる・がんばる」「考える・悩む・困る・苦しむ」などの言葉と一緒に使われる。

①一度やると決めたからには、どんな困難があっても最後までやりぬく覚悟です。

②けがで思うように練習ができないまま出場し、それでも最後まで戦いぬいた山川選手はよくがんばったと思う。

③父が祖父から受け継ぎ、守りぬいたこの店を、これからはぼくがもっと大きく育てていくつもりだ。

④北国の長い冬を耐えぬいた植物が芽を出すと、春の訪れを感じる。

やってみよう！

▶答え　別冊P. 9

1）不景気で就職難のこの時代を生き（a．ぬく　b．がち）には精神力が必要だ。

2）アルバイトをし（a．ぬき　b．つつ）、専門学校で公認会計士になる勉強をした。

3）家族とも相談し、いろいろ考え（a．ぬいた　b．に比べた）末の転職だったんです。

4）みんなで協力すれば、どんな事態が起こってもこのプロジェクトをやり（a．ぬける　b．がたい）と確信しています。

Check

▶答え　別冊P. 9

1

1）彼は冷たい風が吹きつけるの ＿＿＿＿＿ じっと海を見つめていた。

2）はるばる訪ねて来てくれた旧友を心 ＿＿＿＿＿ もてなした。

3）優勝した瞬間、応援していたファンは、喜びの ＿＿＿＿＿ 抱き合って泣き出した。

4）苦しい訓練に耐え ＿＿＿＿＿ ことができたのはすばらしい仲間がいたからだ。

5）こんな事件が起きたとは信じ ＿＿＿＿＿ が、事実なのだ。

を込めて　　もかまわず　　ぬく　　あまり　　がたい

2

1）彼女は手芸が得意で、セーターも（a．編めば　b．編んでも）ワンピースも作る。

2）たとえ会社をクビに（a．なれば　b．なっても）、不正を告発しなければならないと思った。

まとめの問題 Review questions

▶答え 別冊P.20

問題1 〈文法形式の判断〉

次の文の（　　）に入れるのに最もよいものを1・2・3・4から一つ選びなさい。

1 プレッシャーで実力が出せなかったとき、自分に負けた気がして、（　　）。

1 くやしいようになっている　**2** くやしかったつもりだ
3 くやしくてならなかった　**4** くやしいおそれがあった

2 企画会議で、部長の決定を本当にそれでいいのかと疑問に思い（　　）、聞いていた。

1 つつ　**2** ぬき　**3** がたくて　**4** を込めて

3 これは苦労して探し回った（　　）、やっと見つけた本なんです。

1 あげく　**2** あまり　**3** 末に　**4** 限り

4 全力を尽くしてがんばれば、たとえ（　　）後悔はしないだろう。

1 失敗しなければ　**2** 失敗したくないので
3 失敗しても　**4** 失敗したのに

5 彼の理想はわかるが、あまりに現実離れしているので、賛成し（　　）。

1 ぬいた　**2** がたい　**3** がちだ　**4** かねない

6 平和への願い（　　）参加者全員で歌を歌った。

1 を問わず　**2** をきっかけに　**3** を込めて　**4** をもとに

7 試合会場へのペットボトルの持ち込みが禁止になったのは、（　　）グラウンドに物を投げるファンが増えたからです。

1 興奮することなく　**2** 興奮するどころか
3 興奮するからには　**4** 興奮のあまり

8 このドキュメンタリーは南極の厳しい自然の中を生き（　　）2匹の犬の物語である。

1 ぬいた　　2 がたい　　3 かねない　　4 得る

問題2 〈文の組み立て〉

次の文の ★ に入る最もよいものを1・2・3・4から一つ選びなさい。

[1] 彼は ＿＿ ＿＿ ★ ＿＿ パーティーでは人気者だ。

1 歌えば　　2 ダンスも　　3 できるので　　4 歌も

[2] ぼくが花瓶を割ったとき、お母さんにしかられないように、
＿＿ ＿＿ ★ ＿＿ くれた。

1 割った　　2 猫が　　3 お兄ちゃんが　　4 ことにして

[3] 健康の ＿＿ ＿＿ ★ ＿＿ でも、栄養のバランスが取れていないことがある。

1 気をつけている　　2 ため
3 つもり　　4 食べ物に

問題3 〈文章の文法〉

次の文章を読んで、文章全体の内容を考えて、[1]から[4]の中に入る最もよいものを、1・2・3・4から一つ選びなさい。

リリーは、子犬のころ目の病気になり、目が見えなくなった。そんなリリーのためにマディソンは「盲導犬」を引き受けて、いつもリリーを気遣い [1] 歩いていた。2匹は散歩 [2] 一緒なら寝るのも一緒だった。そんな2匹を温かく見守っていた飼い主だったが、家の事情で2匹を犬の保護センターに預けなければならなくなった。「できる [3] この2匹をずっと一緒にいさせてやりたい」と、センターのスタッフは新しい飼い主を探した。

この話が報道されると、多くの視聴者から「 [4] どんなことがあっても2匹を引き離さないで」といったコメントがいくつも寄せられた。その中には新たな飼い主として声をあげる人もいる。2匹は、まもなく一生を過ごせる家を見つけ、幸福な日を送るようになるだろう。

1	**1** がたく	**2** つつ	**3** ぬいて	**4** らしく
2	**1** が	**2** さえ	**3** も	**4** で
3	**1** ことから	**2** ことに	**3** ものの	**4** ものなら
4	**1** たとえ	**2** もし	**3** いくら	**4** それから

問題4〈聴解〉

1　この問題では、問題用紙に何も印刷されていません。この問題は、全体としてどんな内容かを聞く問題です。話の前に質問はありません。まず話を聞いてください。それから、質問と選択肢を聞いて、1から4の中から、最もよいものを一つ選んでください。

1　2　3　4　　65

2　この問題では、問題用紙に何も印刷されていません。まず、文を聞いてください。それから、それに対する返事を聞いて、1から3の中から、最もよいものを一つ選んでください。

1	**1　2　3**	66
2	**1　2　3**	67

社説を読む
Reading an Editorial

14 オリンピックの開催について
Hosting the Olympics

できること

- 新聞のコラムや社説を読んで、筆者の説明と主張が理解できる。
  Read a newspaper column or editorial and understand the writer's explanations and main points.

68

社説

問われる五輪招致の是非

オリンピック開催といえば、昔は国を挙げて喜んだ**ものだ**。しかし今日ではどこの国でも、オリンピック開催**をめぐって**意見が対立する。開催国はオリンピックを契機として、国の発展を願う。しかし、オリンピック開催には多くの費用がかかる。それで政府に対する抗議の声が上がることになる**わけだ**。

また、オリンピック開催**にあたって**は、資金**に加えて**、競技場などの建設用地の確保も重要な課題となる。そのために住民の移転問題も出てくる。住み慣れた土地を離れることは、補償金や代わりの住宅が用意された**としても**、簡単に納得できることではないだろう。

オリンピック憲章の中に、「スポーツを通じて平和な社会を構築する」とある。この理念**に基づいて**、国際社会の平和を目指すことは素晴らしいことだ。しかし、国民の感情や生活を犠牲にしてオリンピックが開催されることがあってはならない。多くの人が賛同し**てこそ**、オリンピックを開く意義がある。今、世界規模でオリンピックのあり方を、改めて考えるときが来ているのではないだろうか。

132 ～ 139

132 国を挙げて喜んだものだ ★★

どう使う？

過去のことを思い出して懐かしいと思う気持ちを表す。
It is often used to express nostalgic memories from the past and one's feelings.

Pl ＋ ものだ [過去形だけ]

①昔はよく友達と近くの川で泳いだものだ。

②娘も昔は「パパ、大好き！」と言ってくれて、かわいかったものだが…。

③10年前はこのあたりも静かだったものだが、今ではすっかり変わってしまった。

心に強く思ったことを言いたいときにも使う。
You can also use this when you want to state a strongly held opinion.

Pl ＋ ものだ [なA だな ~~N だ~~]

①あの子がもう成人式ですか。時間がたつのは早いものですね。

②犬を捨てるなんて、ひどいことをするものだ。

やってみよう！

▶答え 別冊P. 9

1）子どもの頃、寝る前に母はよく歌を歌ってくれた
（a．もの　b．こと　c．ところ）だ。

2）山田さんはさっき帰った（a．もの　b．こと　c．ところ）です。

3）A：前はよくコンサートに行った（a．もの　b．こと　c．ところ）だけど、最近はめったに行かなくなったよね。
B：たまには行く？ 付き合うよ。

4）A：昔、この山で遭難しかけて焦った（a．もの　b．こと　c．ところ）があるんだ。
B：へえ。こんな低い山で？

5）A：今の映画、すばらしかったね。
B：うん。私たちもがんばって、こんなすばらしい映画を作ってみたい
（a．もの　b．こと　c．ところ）だね。

☞ p.224 ～もの／もん

133 開催をめぐって ★★

どう使う？

「～をめぐって」は、「～を話題として」という意味で、「～」について様々な立場、方向から意見を述べたり、争い・紛争・対立などが起きていると言いたいときに使う。
Use " ～をめぐって ", meaning "about ～ ", when you want to say that there is opposition, dispute, conflict, or opinions coming from various directions and positions about " ～ ".

N ＋ [をめぐって / をめぐる ＋ N]

①遺産をめぐって、兄弟の争いが起こることを父は心配していた。

②ダムの建設をめぐって、村人の意見が対立し、計画の実行までにはまだ時間がかかりそうだ。

③スポーツ大会のやり方をめぐって、意見が分かれ、結論は来週に持ち越された。

④どこのマンションでも、改修工事をめぐる話し合いは、なかなかまとまらないものだ。

やってみよう！

▶答え　別冊P. 9

1）開発部と営業部の間で来年度の販売計画（a．をめぐって　b．に際して）議論が続いている。

2）おれのやり方（a．をめぐって　b．に対して）文句があるなら、言ってみろ！

3）今回の警察の捜査方法の是非（a．をめぐって　b．に応じて）いろいろな専門家がコメントをしている。

4）人を、国籍や性別（a．をめぐって　b．によって）差別するべきではない。

134 抗議の声が上がることになるわけだ ★★

どう使う？

理由や事情を説明して「当然そうなる」と言いたいときに使う。
Use this when you want to explain a reason or circumstances about something and say that it is a matter of course.

Pl ＋ わけだ
[なAだな　Nだの]

＊「～というわけだ」の形も使われる。

①食生活の改善と適度な運動によって免疫力が高まり、病気にかかりにくくなるわけです。

②うちのお店は若い人向けの服を中心に扱っているので、20～30代のお客様が多いわけです。

③少子高齢化が進めば、労働人口が減ってしまうわけですから、経済構造にも当然影響が出てきます。

④前の店舗が再開発によって取り壊されることになって、ここに移転することになったというわけです。

やってみよう！

▶答え 別冊P. 9

1）寮では毎日一緒に生活する（a．わけ　b．はず　c．べき）だから、お互いにルールを守ることが大切です。

2）A：以前の新幹線はもっと先が丸い形でしたよね。

B：ええ。当研究所で空気の抵抗を減らす実験をくり返して、現在のような形にした（a．わけ　b．はず　c．べき）なんです。

3）製品の安全性をきちんと調査してから販売する（a．わけ　b．はず　c．べき）なのに、十分な検査もしないで売られているものもあるらしい。

2）

☞ p.226　～わけ

135　オリンピック開催にあたって 

どう使う？

「～にあたって」は、「～をするとき に」という意味を表す。
" ～にあたって " means "when doing ～."

V-る / N ＋ にあたって / にあたり

①開会にあたって、一言ごあいさつ申し上げます。

②診療所の開設にあたっては、まずその地域の医療環境を調べる必要があります。

③復興にあたり、世界中の皆様から様々なご支援をいただきました。

④研修を始めるにあたり、社員としての心構えについてお話しします。

136 資金に加えて ★

どう使う？

「～に加えて」は、「～だけでなく、その上」という意味を表す。

" ～に加えて " means "not only ～ , but also."

N ＋ に加えて

①優れたサッカー選手になるには、運動能力に加えて、判断力や協調性が求められる。

②家を買う場合は、不動産屋の手数料に加え、税金や引っ越し費用など、購入代金のほかにも様々な経費がかかる。

③これまでのサービスに加え、新たなサービスを企画してお客様のニーズに応えたい。

④この町は、自然の豊かさに加えて、子育て支援が充実していることから、若い世代の転入が増加している。

137 用意されたとしても ★★

どう使う？

「～としても」は、「たとえ～と考えても」という意味で、自分の意見や予想を言いたいときに使う。

Use " ～としても ", meaning "imagine if ～ ", when you want to state a personal opinion or prediction.

Pl ＋ としても / としたって

①こんなにいい天気なんだから、雨が降るとしても夜になってからだろう。

②いい商品なんだから、売り上げがすぐには伸びないとしても、時間をかけて売っていこう。

③無理して働いて病気になったとしても、会社は補償してくれないよ。

④仮に私を悲しませないためのうそだとしたって、私は絶対許せない。

やってみよう！

▶答え 別冊P. 9

1）A：先生、電子レンジって、いくらぐらいしますか。

B：温めるだけなら、高い（a. としても　b. とすれば）10,000円以下で買えるでしょう。

2）A：夏休みに旅行する（a. としたって　b. としたら）、どこがいい？

B：私、ソウルへ行きたい。

3）それほど遠くないから、渋滞した（a. としても　b. とすれば）お昼までには向こうに着くでしょう。

4）みんなで手伝った（a. としたって　b. としたら）そんなに早く終わるはずがないよ。

138 理念に基づいて

どう使う？

基準や参考にしたものを言うときに使う。

Use this when you mention something which was used as a basis or reference.

N ＋ に基づいて
N ＋ に基づき
N ＋ に基づく ＋ N
N ＋ に基づいた ＋ N

①集めた資料に基づいて、論文を書いた。

②区域内の道路建設は法律に基づいて、各市町村が基本計画を作成する。

③国民健康保険は前年の収入に基づいて保険料が決められる。

④この会社では、社員の教育計画に基づいた人材の育成が行われている。

やってみよう！

▶答え 別冊P. 9

1）廃棄物は法（a. に基づいて　b. に関して）、適正に処理されなければならない。

2）これは天然資源（a. に基づいて　b. に関して）調査したレポートです。

3）離婚の際に、子どもの親権（a. に基づいて　b. をめぐって）争うケースが増えている。

4）本校は学校教育法（a. に基づいて　b. をめぐって）認可された学校です。

5）本アプリは脳科学（a．に基づいて　b．に応じて）開発された英語学習サービスです。

6）この目薬は症状（a．に基づいて　b．に応じて）点眼する回数が異なりますので、医師の指示に従ってご使用ください。

5）

Plus

～をもとに／～をもとにして

①調査結果をもとに新製品の宣伝方法を考えましょう。

②当店では、お客様からの意見をもとに日々サービスの向上に努めております。

③目撃者の証言をもとにして、犯人のモンタージュ写真を作成した。

④この映画はある地方に伝わる伝説をもとにして作られたと言われている。

139　多くの人が賛同してこそ

どう使う？

「～てこそ…」は、「～がないと…が成立しない、～が絶対に必要な条件である」ということを強調する気持ちを表す。

" ～てこそ…" expresses a feeling that emphasizes that "with ～, … can not be; ～ is an absolutely necessary condition."

V-て ＋ こそ

①どんな健康法も、続けてこそ効果がある。

②苦労してこそ、わかることもたくさんある。

③相手にわかりやすく説明できてこそ、本当の知識と言えるのです。

☞ p.221　～こそ

Check

▶答え 別冊P. 9

1）原料の値上げ ＿＿＿＿＿、流通コストも上がったため、値上げせざるを得なくなってしまいました。

2）衆議院では来年度予算案 ＿＿＿＿＿、与野党の意見が対立している。

3）王子の結婚 ＿＿＿＿＿、各国からお祝いのメッセージが送られてきた。

4）私の国では、試験の成績 ＿＿＿＿＿、入学する大学が決められるシステムになっています。

に加えて　をめぐって　に基づいて　にあたって

5）失敗した ＿＿＿＿＿、がんばった経験は将来必ず役に立つはずです。

6）缶詰は中の空気が抜かれ、加熱殺菌されているので、長期間保存できる＿＿＿＿＿。

7）どんなスポーツでも、練習を続け ＿＿＿＿＿ 上達するのだから、練習をサボってはいけない。

8）昔はよく手紙を書いた ＿＿＿＿＿ が、最近は書くのは年賀状ぐらいになったね。

ものだ　わけだ　てこそ　としても

まとめの問題 Review questions

▶答え 別冊P.20

問題1 〈文法形式の判断〉

次の文の（　　）に入れるのに最もよいものを1・2・3・4から一つ選びなさい。

1　新しい生活を始める（　　）、大学の近くに部屋を探すことにした。

1 において　**2** にしたがって　**3** に基づいて　**4** にあたって

2　学生時代はよくこの公園の芝生で昼寝をした（　　）。懐かしいなあ。

1 ことだ　**2** ものだ　**3** だけだ　**4** わけだ

3　この製品の使用法（　　）は、ホームページをご覧ください。

1 について　**2** にあたって　**3** をめぐって　**4** に基づいて

4　人は自分の経験（　　）判断することが多いので、正しい判断をするにはたくさんの経験が必要だと言われる。

1 にしては　**2** に基づいて　**3** に加えて　**4** にあたり

5　原子力発電所の安全性（　　）、世界各地で議論が行われている。

1 を込めて　**2** を問わず　**3** をめぐって　**4** をもとに

問題2 〈文の組み立て〉

次の文の ★ に入る最もよいものを1・2・3・4から一つ選びなさい。

1　地域住民が新しいホテルの ＿＿ ＿＿ ★ ＿＿ 起こしたそうだ。

1 運動を　**2** 建設　**3** 反対　**4** をめぐって

2　結婚しない若者の増加も問題だが、＿＿ ＿＿ ★ ＿＿ 人が増えているのも問題だろう。

1 子どもを産もう　**2** 結婚した

3 としない　**4** としても

3　この温泉は、＿＿＿ ＿＿＿ ＿★＿ ＿＿＿ 効果もあります。

1 回復　　2 疲労　　3 美肌の　　4 に加えて

問題3 〈文章の文法〉

次の文章を読んで、文章全体の内容を考えて、［1］から［4］の中に入る最もよいものを、1・2・3・4から一つ選びなさい。

　交差点で車同士が衝突する事故が起きた。事故原因の調査では、運転手に重大な過失は認められなかった。事故のあった交差点は以前から危険性が指摘されていたため、この事故［1］、道路を管理する大山市と運転手の間で裁判となり、市側は判決［2］、200万円を支払うこととなった。道路管理に問題があったと認められた［3］。今回の事故［4］、大山市は市内のすべての道路の安全調査を実施するとのことだ。

［1］　1 を通じて　　2 をめぐって　　3 を問わず　　4 をはじめ

［2］　1 に限って　　2 にわたって　　3 に基づいて　　4 にさえ

［3］　1 ものがある　　2 きりだ　　3 にすぎない　　4 わけだ

［4］　1 を契機に　　2 もかまわず　　3 に加えて　　4 に先立って

問題４〈読解〉

次の文章を読んで問題に答えなさい。後の問いに対する答えとして最もよいものを、１・２・３・４から一つ選びなさい。

新たな高速道路建設をめぐって、現在様々な議論が行われている。新しい高速道路ができれば、地域経済が活発になると期待する人も多い。しかし、国民の幸福という基本理念に基づいて建設計画が作られたとしても、まずその費用をどうするのかが問題だ。資金問題に加えて、周辺地域への騒音や大気汚染をどうするかも検討しなければなるまい。建設にあたって、クリアしなければならない問題はまだ数多く、決定には時間がかかるものと思われる。

筆者が一番言いたいことは何ですか。

1 高速道路を新しく作る必要があること

2 高速道路ができれば、地域経済が活発になること

3 高速道路ができれば、国民が幸福になること

4 高速道路の建設にはいろいろな問題があること

さくいん　Index

似ている文型リスト〈N2レベル〉 Similar Sentence Pattern List〈Level N2〉

文型		例文	レベル	番号	ページ
〜一方	〜一方①	仕事を求めて都会に出る若者がいる一方、故郷に戻って就職する若者もいる。	N2	61	p.105
	V一方②	ここは静かな町だったのに、テレビで紹介されて以来、観光客が増える一方だ。	N2	115	p.181
〜上／上	V上で①	この本は就職活動をする上での重要なポイントが書かれています。	N2	14	p.34
	〜上で②	駅前の再開発については、住民の皆さんの意見をまとめた上で、市に要望書を提出したいと思います。	N2	117	p.182
	〜上は	税金を使って研究を行う上は、社会に役立つ研究をしなければならない。	N2	18	p.42
	〜上（に）	先週は熱が40度も出た上に、下痢が止まらず、本当に大変でした。	N2	102	p.162
	N上	お札にはその国の歴史上の人物の顔が描かれていることが多い。	N2	70	p.114
〜うちに	Vうちに①	今はまだ上手じゃなくても、練習を重ねるうちにできるようになるよ。	N3		
	〜うちに②	アイスクリームが溶けないうちに食べよう。	N3		
	VかVかのうちに	早食い選手権を見ていたら、選手たちは食べ物を口に入れたか入れないかのうちに、次の料理に手を伸ばしていた。	N2	96	p.153
〜得る／得る	V得る	凶器がどこにあるか、考え得る場所はすべて捜したが、まったく手がかりがつかめなかった。	N2	66	p.112
	Vざるを得ない	台風接近のため、野外コンサートは中止せざるを得なくなった。	N2	24	p.53
〜から	〜からこそ	大変なときだからこそ、協力することが大切なんです。	N3		
	〜からといって	A：あんなにがんばって練習したんだから、今度の大会は絶対優勝ですね。 B：練習したからといって、簡単には優勝できませんよ。	N3		
	Vてからでなければ	この会社では、3か月の研修を受けてからでなければ正社員になれません。	N3		
	Vからには	日本での就職を希望するからには、しっかり企業研究をしておいたほうがいい。	N2	18	p.40

～から	～から見て	便利さという点から見ると、やはり田舎より都会のほうが暮らしやすい。	N2	60	p.103
～きる／きり	Vきる	この目薬は２週間で使いきってください。残ったら使わないで捨ててください。	N3		
	Vたきり	彼は「ごめん」と言ったきり、黙ってしまった。	N2	37	p.72
～くらい	～くらい	昨日の地震は、座っていられないくらい強くゆれた。	N3		
	Vくらいなら	A：カメラが壊れちゃって、修理代が15,000円もするんだ。 B：15,000円も払うくらいなら、新しいのを買ったほうがいいね。	N2	90	p.142
～こそ	～からこそ	大変なときだからこそ、協力することが大切なんです。	N3		
	～ばこそ	この山の自然を愛すればこそ、観光客の数を厳しく制限しているのです。	N2	53	p.92
	Vてこそ	どんな健康法も、続けてこそ効果がある。	N2	139	p.211
～こと	Vことができる	私はギターを弾くことができます。	N4		
	Vたことがある	私は一度アフリカへ行ったことがあります。	N4		
	Vことがある	この地方は４月でも雪が降ることがある。	N3		
	Aことといったら	花見客の多いことといったら、ゆっくり桜も見られないほどでしたよ。	N3		
	Nのことだから	鈴木選手のことだから、本番ではさらにすばらしい演技を見せてくれることでしょう。	N3		
	～こと。	願書は１月28日必着のこと。窓口での受け付けは行っておりません。	N2	8	p.25
	～ことか	人は私のことを頭がいいと言うけど、この試験に合格するために、どれだけ勉強したことか。私の努力は誰も知らないでしょうね。	N2	42	p.77
	～ことから	このサツマイモは中が赤いことから、紅イモと呼ばれています。	N2	62	p.106
	～ということだ	ニュースでは、今回の地震による津波の心配はないということです。	N3		
	Vことだ	仕事でも何でも自分一人で悩まないで、誰かに相談することですよ。	N2	87	p.140

～こと	～ことにする	最近、目が悪くなったので、めがねをかけることにしました。	N4		
	Vたことにする	私が日本にいる間に、家族がドイツへ旅行に行ったなんて、聞かなかったことにしたいなあ。	N2	119	p.189
	～ことになる	来月ニューヨークへ行くことになりました。	N4		
	～ことになっている	来週の月曜日、友達と映画を見ることになっています。	N4		
	～ことに	ホテルの部屋に入ったら、驚いたことに、バラの花束とホテルマネージャーからの歓迎メッセージがテーブルの上に置いてあった。	N2	40	p.75
	Vことなく	今回は優勝することができましたが、これで満足することなく、さらに努力を続けます。これからも、応援よろしくお願いします。	N2	20	p.43
	～ないことには	A：ここに若干名募集って書いてあるけど、何人ぐらい採用するのかなあ。 B：問い合わせてみないことには、詳しいことはわからないよ。	N2	110	p.175
	Vことはない	君が謝ることはないよ。悪いのは向こうなんだから。	N2	49	p.87
	～ないことはない	A：お酒、お好きですか。 B：そんなに好きではありませんが、飲めないことはありません。	N2	54	p.93
～さえ	～さえ	来週から出張に行くのに、ホテルの予約はもちろん、航空券の予約さえしてない。	N3		
	～さえ～ば	A：レポート終わった？ B：もう少し。あと、最後のまとめさえ書けば終わりだよ。	N2	43	p.78
～次第	～次第①	ただ今、全線で運転を見合わせておりますが、情報が入り次第、お伝えいたします。	N2	36	p.67
	N次第②	登山ルートは天候次第で変更する場合もありますので、ご了承ください。	N2	114	p.180
～だけ	Vだけ①	今から行っても間に合わないかもしれないけど、行くだけ行ってみようよ。	N2	47	p.81
	Vだけ②	春節を前にリンさんはお土産を持てるだけ持って、帰国した。	N2	55	p.94
	～だけに	この町は文化遺産に登録されているだけあって、住民の環境保護に対する意識も高い。	N2	105	p.165

～つつ	Vつつ	クリスマスを前におもちゃ売り場には、喜ぶ子どもの顔を思い浮かべつつ、プレゼントを選ぶお父さんの姿が増えています。	N2	30	p.63
	Vつつも	チョコレートを食べたらにきびが増えると知りつつも、つい手が伸びてしまうんです。	N2	112	p.177
	Vつつある	異常気象の影響が世界各地に広がりつつある。	N2	71	p.115
～つもり	～つもり	私は来年日本に留学するつもりです。	N4		
	～つもり①	旅行に行ったつもりで、この「列車の旅」のDVDを見て、楽しみましょう。	N2	59	p.97
	～つもり②	説明書通りにやっているつもりなのに、どうしてもうまくできない。	N2	120	p.190
～とか	～とか	私の学校では数学とか物理とか、理科系の科目の時間数が多くて、いい先生がたくさんいる。	N3		
	～とか	息子さんが今度結婚なさるとか。おめでとうございます。	N2	107	p.172
～ところ／どころ	～ところ	今から友達と出かけるところです。	N4		
	～ところ	あくびしたところを写真に撮られたって、佐藤さん、怒ってたよ。	N3		
	Vところだった	今朝は30分も寝坊しちゃって、危うく遅刻するところだったよ。	N2	89	p.141
	～どころじゃない	A：学校が終わったらカラオケ行かない？ B：カラオケどころじゃないよ！ レポート、書かなきゃ。明日締め切りなんだ。	N2	38	p.74
	～どころか	A：旅行、どうだった？ 沖縄はもう暑いんでしょうね。 B：ううん。雨に降られて、暑いどころかすごく寒くて、風邪ひきそうだったよ。	N2	83	p.135
～にかかわらず	～にかかわらず	区民センターの利用料金が変更になりました。和室は、人数にかかわらず、2時間1,000円になります。	N2	5	p.22
	～にもかかわらず	彼の努力にもかかわらず、業績はよくならなかった。	N2	21	p.44
～に限る／限り	Nに限り	本日に限り、通常価格100グラム1,500円の牛肉を半額でご提供いたしております。	N2	3	p.20
	Nに限って～ない	うちの子に限って、万引きなんてするはずがありません。	N2	3	p.21
	V限り	高齢者でも、働ける限りは働きたいと思っている人が多い。	N2	23	p.51

～に限る／限り	Nに限らず	環境対策のためにも、夏に限らず、年間を通して節電を心がけるべきだ。	N2	71	p.116
	Nに限って	よく知らないやつに限って、偉そうなことを言う。	N2	86	p.139
	～に限る②	運動の後は、はちみつとレモンのジュースに限る。	N2	104	p.164
～にかけて	NからNにかけて	本日、九州から四国地方にかけて、梅雨入りしました。	N2	32	p.64
	Nにかけては	日本酒造りにかけては彼の右に出る者はいない。	N2	109	p.174
～につき	Nにつき	当スポーツクラブ会員以外の方でも、１回につき 2,000 円で施設をご利用いただけます。	N3		
	Nにつき	清掃中につき、お足元にご注意ください。	N2	1	p.19
～のみ	～のみ	お薬のみご希望の方は、こちらの箱に診察券をお入れください。	N2	58	p.97
	～のみならず	現在、日本のコンビニは若者のみならず、あらゆる世代の人々に様々な目的で利用されている。	N2	63	p.107
～ばかり	Vたばかり	父は昨日退院したばかりなのに、今日から会社に出ている。	N3		
	～ばかり	最近雨ばかりで、洗濯物が乾かなくて困っています。	N3		
	～ばかり	円高が進んで、景気が悪くなるばかりだ。	N2	115	p.181
	～ばかりか	今日は電車で足を踏まれたばかりか、かばんに入れておいたサンドイッチもつぶされてしまった。	N3		
	～ばかりでなく…も	落語は最近、お年寄りばかりでなく若い女性にも人気が出てきた。	N3		
	～ばかりに	本当のことを言ったばかりに、彼を怒らせてしまった。	N2	48	p.86
～まい	Vまい	世界経済は状況から見て、すぐに好転することはあるまい。わが社も早急に対策を考えなければならない。	N2	93	p.149
	VかVまいか	彼は夏休みに国へ帰ろうか帰るまいかと悩んでいるらしい。	N2	123	p.192
～もの／もん	～もので	慣れないものですから、ご迷惑をおかけするかもしれませんが、どうぞよろしくお願いします。	N3		
	Vものだ①	Ａ：うちの息子は最近口答えばかりして、ちっとも言うことを聞かないんですよ。 Ｂ：子どもは親に反抗するものですから、それも成長のひとつですよ。	N2	13	p.34

～もの／もん	～ものだ②	昔はよく友達と近くの川で泳いだものだ。	N2	132	p.206
	～ものではない	楽をしてお金をもうけようなんて考えるもんじゃない。	N2	46	p.81
	Nというものだ	A：先生、山下君のせいで私たちのグループだけ、作品が完成していないんです。 B：困ったときに助け合うのが友達というものだろ。手伝ってあげなさい。	N2	52	p.90
	～というものではない	勉強は今日やれば明日やらなくていいというものではない。	N2	25	p.53
	～ものがある	A：この町、ずいぶん変わりましたね。 B：ええ、便利にはなったんですが、違う町になってしまったみたいで、さびしいものがありますよ。	N2	92	p.148
	～ものの	水泳教室に通ってはいるものの、いまだに25メートルしか泳げない。	N2	39	p.74
	Vものなら	子どものころから星が好きだったので、行けるものなら宇宙旅行に行ってみたいと思っています。	N2	122	p.191
	～ものか	こんなサービスの悪い店には二度と来るもんか。	N2	51	p.89
	～もん	A：そんなにたくさんお土産買うの？ B：だって、この人形もこのお菓子も日本じゃなきゃ、買えないんだもん。	N2	56	p.95
～よう	～ようだ	A：教室の電気がついていますよ。 B：誰かいるようですね。	N4		
	～ようだ	あのえんぴつのような形をしている建物は、電話会社のビルです。	N3		
	～ような	インフルエンザのようなほかの人にうつる病気になったら、治るまで学校へ来てはいけないことになっています。	N3		
	Vかのようだ	リンさんの部屋はまるで泥棒が入ったかのように散らかっている。	N3		
	～ようなら	A：すみません。仕事がまだ終わらなくて、ちょっと遅くなりそうなんです。 B：そうですか。じゃあ、６時過ぎるようなら先に行ってますね。	N3		
	Vようでは	おしゃれに全然気を使わないようじゃ、社会人としてまずいんじゃない？	N2	84	p.136
	Vようがない	出張の予定だったが、大雪で飛行機が欠航してしまったので行きようがない。	N2	44	p.79

～ように	～ように	約束の時間に遅れないように、早く家を出ました。	N4		
	～ようにする	Ａ：健康のために、少し運動したほうがいいですよ。 Ｂ：じゃ、これから毎日１時間くらい歩くようにします。	N4		
	Vように言う	お母さんからも勉強するように言ってください。	N3		
	～ようになる①	日本へ来たときは、納豆が食べられませんでしたが、今は食べられるようになりました。	N4		
	～ようになる②	日本へ来てから、自分で料理を作るようになりました。	N4		
	Vようになっている	ほこりが鼻に入るとくしゃみが出て、自然にそれを外へ出すようになっています。	N2	81	p.133
～わけ	～わけがない	相手は世界でトップのチームだし、がんばったって、勝てるわけがない。	N3		
	～わけではない	退院しても、病気が完全に治ったわけではありませんから、無理をしないでください。	N2	19	p.42
	～わけにはいかない	Ａ：Ｂさん、顔色悪いよ。今日は無理しないで早退したら？ Ｂ：でも、午後から大事な会議があるから、帰るわけにはいかなくて…。	N2	57	p.96
	～わけだ①	Ａ：このチョコ、１粒1,000 円もするんだよ。 Ｂ：え！ 本当？ じゃあ、おいしいわけよね。	N2	82	p.134
	～わけだ②	食生活の改善と適度な運動によって免疫力が高まり、病気にかかりにくくなるわけです。	N2	134	p.207

N2 「できること」リスト N2 Can Do List

章	章のタイトル	できること	文法項目
1	お知らせを読む Reading an Announcement スタッフ募集のお知らせ A Job Ad	●お知らせなどの文章が読める。 Read announcements and the like. ●求人の条件が理解できる。 Understand the conditions for a job opening.	1 オープン**につき** 2 国籍**を問わず** 3 N2レベル以上の方**に限り** 4 経験年数**に応じ** 5 採否**にかかわらず** 6 当店**において** 7 面接の**際**に 8 履歴書持参の**こと**
2	スピーチをする Giving a Speech 転任のあいさつ Addressing Co-workers after Receiving a Transfer Order	●改まった形で思い出話などをして、お別れのスピーチができる。 Give a farewell speech with memorable stories and the like in a formal setting.	9 入社して**以来** 10 部長**をはじめ** 11 先輩方のご指導**のもとで** 12 仕事の進め方**はもとより** 13 人は失敗から学ぶ**ものだ** 14 仕事をする**上で** 15 残念**ながら**
		●改まった形で今後の展望などを話し、お礼のあいさつが言える。 Talk about the future outlook and the like and state your appreciation in a formal setting.	16 輸出拡大**を**目的**とした**プロジェクト 17 この転勤を**きっかけ**に 18 やる**からには** 19 なくなるという**わけではありません** 20 これまでと変わる**ことなく** 21 雨**にもかかわらず**
3	説明を聞く Listening to an Explanation ホテルの仕事 A Hotel Job	●仕事などの社会生活の場面での心構えを聞いて、理解できる。 Listen to and understand an explanation about the attitude required for a job or other adult setting. ●クレーム対応のし方などについての説明を聞いて、理解できる。 Listen to and understand an explanation about how to handle complaints and the like.	22 スタッフ**として**の心構え 23 仕事を続ける**限り** 24 対応せ**ざるを得ない** 25 謝ればいい**というものではありません** 26 正当なものかどうか**はともかく**として 27 信頼を失い**かねません** 28 お客様**というより** 29 安心し**てはいられません**

4	ニュースを聞く Listening to the News 台風情報 Typhoon Information	●天気予報、台風情報などのニュースを聞いて理解できる。 Listen to and understand news such as weather forecasts and typhoon information.	30 速度を速め**つつ** 31 広範囲**にわたって** 32 九州沿岸**から**四国**にかけて** 33 台風の接近**にともない** 34 雨が降る**おそれがあります** 35 強風**とともに** 36 中継がつながり**次第**
5	友達同士の会話 A Conversation with a Friend 就職活動 Job Hunting	●自分の困った状況が友達に説明できる。 Explain a problematic situation you have to a friend.	37 京都に行った**きり** 38 旅行**どころじゃない** 39 情報は集めている**ものの** 40 困った**ことに** 41 人気の業界**にしては** 42 何回書いた**ことか**
		●自分の困った状況が友達に説明できる。 Explain a problematic situation you have to a friend. ●友達の話に共感して励ますことができる。 Sympathize with what a friend says and offer encouragement.	43 やる気**さえ**あれ**ば** 44 がんばり**ようがない** 45 苦労した**あげく** 46 そんなこと考える**もんじゃない** 47 出す**だけ**出してみる
6	友達同士の会話 A Conversation with a Friend 苦労した5年間 A Tough Five Years	●自分の困った状況、気持ちを友達に説明できる。 Explain a problematic situation or feeling you have to a friend. ●友達の状況に共感して励ますことができる。 Sympathize with a friend's situation and offer encouragement.	48 経験がなかった**ばかりに** 49 あきらめる**ことはない** 50 同期の人**に比べて** 51 負ける**ものか** 52 それが上司**というものよ**
		●自分の状況や決意したことを友達に話せる。 Talk to a friend about your situation or resolve.	53 ぼくのことを思え**ばこそ** 54 わから**ないことはなかった** 55 がんばれる**だけ**がんばろう 56 努力してたんだ**もん** 57 失敗する**わけにはいかない** 58 自分を信じて進む**のみ**だ 59 スターになった**つもり**で

<table>
<tr><td rowspan="2">7</td><td rowspan="2">論説文を読む
Reading an Essay
オオカミと生態系
Wolves and the Ecosystem</td><td>●レポートや論説文の、これまでの経緯や状況の説明が理解できる。
Understand an explanation about the background and situation of a topic described in a report or essay.</td><td>60 人間の立場から見ると
61 その一方で
62 絶滅したことから
63 被害を与えたのみならず
64 ネズミやビーバーといった
65 数が増えるにしたがって</td></tr>
<tr><td>●レポートや論説文の説明が理解できる。
Understand an explanation in a report or essay.</td><td>66 回復させ得る
67 期待に反して
68 連れてくることに関して
69 成果が期待される反面
70 理論上は
71 増加しつつある
72 アメリカに限らず</td></tr>
<tr><td>8</td><td>ビジネス場面の会話
Conversation in a Business Setting
取引先で
At a Client</td><td>●ビジネス場面で社外の人との簡単な受け答えができる。
Give simple responses in a business setting to people not from your company.</td><td>73 佐々木様がお見えになりました
74 ご確認願えますでしょうか
75 ご説明申し上げたい
76 ご連絡いただければと思います
77 日程につきましては</td></tr>
<tr><td rowspan="2">9</td><td rowspan="2">友達同士の会話
A Conversation with a Friend
食べ放題
All-You-Can-Eat</td><td>●身近な話題について、友達と自然な表現を使って話せる。
Use natural expressions to talk to a friend about a familiar topic.</td><td>78 メニューが多いのなんのって
79 できたて
80 小林君ったら
81 変わるようになっている
82 食べられなかったわけだ
83 たくさん食べるどころか
84 そんなことも知らないようじゃ</td></tr>
<tr><td>●身近な話題について、友達と自然な表現を使って話せる。
Use natural expressions to talk to a friend about a familiar topic.</td><td>85 上品ぶってもしょうがない
86 初心者に限って
87 食べ続けることだよ
88 食べ放題という食べ放題
89 罰金を払わされるところだった
90 罰金払うくらいなら
91 がんばったほうがずっとましだ</td></tr>
</table>

10	エッセーを読む Reading an Essay 満員電車 A Full Train	●エッセーを読んで、筆者の考え方や感じ方が理解できる。 Read an essay and understand the author's thoughts and feelings.	92 つらい**ものがある** 93 ストレスを感じない人はいる**まい** 94 乗客を見る**につけ** 95 混んでいる**わりに**は
		●エッセーを読んで、筆者の考え方や感じ方が理解できる。 Read an essay and understand the author's thoughts and feelings.	96 立つ**か**立たない**かのうちに** 97 楽し**げ**におしゃべりしている 98 くやしい**やら**うらやましい**やら** 99 乗客が降りた**かと思うと**
11	記事を読む Reading an Article ラーメンの紹介 Introduction to Ramen	●雑誌やインターネット上などの紹介記事を読んで、理解できる。 Understand introductory articles in magazines, on the internet and elsewhere.	100 日本料理**にほかならない** 101 空腹を満たすもの**にすぎなかった** 102 工夫ができる**上**に 103 ラーメン**といっても** 104 ラーメンはしょうゆ**に限る** 105 人気店**だけあって** 106 スープ**にしろ**具**にしろ**
12	ビジネス場面の会話 Conversation in a Business Setting ウォーキングシューズの開発 Developing Walking Shoes	●会議で説明したり、意見を言ったりできる。 Give explanations and state your opinion in a meeting.	107 発売される**とか** 108 業界の流れ**にそって** 109 ウォーキングシューズ**にかけては** 110 開発し**ないことには** 111 歩きやすさを重視し**がち**です 112 ほしいと思い**つつも**
		●会議で説明したり、意見を言ったりできる。 Give explanations and state your opinion in a meeting.	113 新商品を作る**としたら** 114 デザイン**次第**で 115 厳しくなる**一方**です 116 開発**に先立って** 117 市場調査をした**上で** 118 社会人の声**にこたえた**

13	ストーリーを読む Reading a Story 人生の転機 A Turning Point in One's Life	●ストーリーの展開を追って読める。 Follow the plot and read a story. ●登場人物の心情が理解できる。 Understand how the characters feel.	119 昇進の話はなかっ**たことにする** 120 がんばった**つもり**だった 121 つらく**てならなかった** 122 できる**ものなら** 123 行**こうか**行く**まいか** 124 迷った**末**
		●ストーリーの展開を追って読める。 Follow the plot and read a story. ●登場人物の心情や決意表明などを理解できる。 Understand how the characters feel, their expressions of determination and the like.	125 **たとえ**どんな事情があっ**ても** 126 許し**がたい** 127 男が止めるの**もかまわず** 128 恥ずかしさの**あまり** 129 気持ち**を込めて** 130 荷物運び**も**すれ**ば**切符**も**売る 131 やり**ぬく**ぞ
14	社説を読む Reading an Editorial オリンピックの開催について Hosting the Olympics	●新聞のコラムや社説を読んで、筆者の説明と主張が理解できる。 Read a newspaper column or editorial and understand the writer's explanations and main points.	132 国を挙げて喜んだ**ものだ** 133 開催**をめぐって** 134 抗議の声が上がることになる**わけだ** 135 オリンピック開催**にあたって** 136 資金**に加えて** 137 用意された**としても** 138 理念**に基づいて** 139 多くの人が賛同し**てこそ**

〈著者紹介〉

ＡＢＫ（公益財団法人 アジア学生文化協会）

ＡＢＫは、1957年に作られ、日本語学校と留学生寮を運営している組織です。日本とアジア諸国の青年学生が共同生活を通じて、人間的和合と学術、文化および経済の交流をはかることにより、アジアの親善と世界の平和に貢献することを目的としています。学校では大学、大学院、専門学校への進学、就職などの学生のニーズに合わせて、日本語能力試験、日本留学試験の対策とともに、運用力をつける工夫をしながら、日本語教育を行っています。執筆者は全員ＡＢＫで日本語教育に携わっている講師です。姉妹団体に学校法人ＡＢＫ学館日本語学校（ABK COLLEGE）もあります。

監　修：町田恵子
執筆者：向井あけみ・遠藤千鶴・萩本攝子・福田真紀
協力者：新井直子・内田奈実・大野純子・掛谷知子・勝尾秀和・亀山稔史・國府卓二・新穂由美子・津村知美・成川しのぶ・橋本由子・服部まさ江・藤田百子・星野陽子・町田聡美・森川尚子・森下明子・吉田菜穂子

TRY！ 日本語能力試験N2　文法から伸ばす日本語
【音声ダウンロード版】［改訂版］

2013年 5月30日　初版　　第1刷発行
2014年 4月30日　改訂版　第1刷発行
2024年 4月25日　音声ダウンロード版　第2刷発行

翻　　訳　株式会社ラテックス・インターナショナル
イラスト・DTP　朝日メディアインターナショナル株式会社
カバーデザイン　岡崎裕樹（アスク デザイン部）
ナレーション　沢田澄代　出先拓也
録音・編集　スタジオ グラッド

発 行 人　天谷修身
発　　行　株式会社 アスク
〒162-8558 東京都新宿区下宮比町2-6
TEL 03-3267-6864　FAX 03-3267-6867
印刷・製本　株式会社光邦

アンケートにご協力ください
PC https://www.ask-books.com/support/

　ISBN 978-4-86639-692-7

やってみよう！・Check

答え

1 お知らせを読む スタッフ募集のお知らせ

1

▶問題p.19

1） d　2） c　3） b　4） a

2

▶問題p.20

1） c　2） a　3） c　4） a

3

▶問題p.21

1） a　2） b　3） a　4） b　5） a

4

▶問題p.22

1） a　2） b　3） a　4） a

5

▶問題p.23

1） d　2） a　3） b　4） c

6

▶問題p.24

1） a　2） b　3） b　4） a

7

▶問題p.24

1） b　2） d　3） e　4） c　5） a

8

▶問題p.25

1） c　2） a　3） d　4） b

Check

▶問題p.26

1）を問わず
2）に応じて
3）において
4）に限り
5）際
6）こと
7）につき
8）にかかわらず

2 スピーチをする 転任のあいさつ

9

▶問題p.31

1） a　2） b　3） b　4） a

10

▶問題p.32

1） c　2） d　3） b　4） a

11

▶問題p.32

1）祖父母
2）両親の同意
3）社長
4）協力

12

▶問題p.33

1） a　2） b　3） a　4） b　5） a

14

▶問題p.35

1）a　2）b　3）a　4）b

15

▶問題p.36

1）b　2）a　3）a　4）b

Check

▶問題p.37

1）をはじめとする

2）はもとより

3）ながら

4）のもとで

5）上で

6）以来

7）ものだ

16

▶問題p.39

1）a　2）b　3）b　4）b

18

▶問題p.41

1）a　2）b　3）b　4）a　5）a

19

▶問題p.42

1）a　2）b　3）b・a

20

▶問題p.43

1）a　2）b　3）a　4）b

21

▶問題p.44

1）a　2）b　3）a　4）a　5）b

Check

▶問題p.45

1）からには

2）として

3）ことなく

4）わけではない

5）にもかかわらず

6）きっかけ

3 説明を聞く ホテルの仕事

22

▶問題p.51

1）研究生・教師

2）客・スタッフ

3）趣味

23

▶問題p.52

1）b　2）a　3）b　4）b

24

▶問題p.53

1）c　2）d　3）a　4）b

25

▶問題p.54

1）b　2）a　3）a　4）b

26

▶問題p.55

1）a　2）a　3）b　4）a

27

▶問題p.55

1）b　2）a　3）d　4）c

28

▶問題p.56

1）ということだ

2）といえば

3）というより

4）というものではない

29

▶問題p.57

1）a　2）b　3）a

Check

▶問題p.58

1）ざるを得ない

2）かねない

3）というものではありません

4）てはいられない

5）限り

6）はともかく

7）として

8）というより

4 ニュースを聞く 台風情報

30

▶問題p.63

1）b　2）d　3）a　4）c

31

▶問題p.64

1）a　2）b　3）a　4）b

32

▶問題p.65

1）c　2）d　3）a　4）b

33

▶問題p.65

1）a　2）b　3）a　4）a

34

▶問題p.66

1）a　2）a　3）a　4）b

35

▶問題p.67

1）d　2）c　3）a　4）b

36

▶問題p.68

1）a　2）b　3）a　4）b

Check

▶問題p.68

1）について・にわたって・つつ・ための

2）にかけて・にともない・おそれがあり・次第

5 友達同士の会話 就職活動

37

▶問題p.73

1）a　2）b　3）a　4）b

38

▶問題p.74

1）a　2）b　3）b

39

▶問題p.75

1）a　2）a　3）b

41

▶問題p.76

1）b　2）b　3）a　4）b

Check

▶問題p.77

1）どころじゃない
2）ものの
3）にしては
4）ことに
5）きり
6）ことか

43

▶問題p.79

1）b　2）a　3）d　4）c

44

▶問題p.80

1）a　2）a　3）b　4）b

45

▶問題p.81

1）a　2）b　3）b　4）a

Check

▶問題p.82

1）あげく
2）さえ
3）ようがない
4）ものではない
5）だけ

6 友達同士(どうし)の会話 苦労(くろう)した5年間

48

▶問題p.87

1）a　2）b　3）a　4）a

49

▶問題p.88

1）c　2）d　3）b　4）a

50

▶問題p.89

1）a　2）b　3）a　4）c

51

▶問題p.90

1）c　2）a　3）b

Check

▶問題p.91

1）に比(くら)べ
2）ものか・ことはない
3）というものだ
4）ばかりに

54

▶問題p.93

1）a　2）b　3）a

55

▶問題p.95

1）b　2）a　3）d　4）c

56

▶問題p.96

1）d　2）c　3）a　4）b

57

▶問題p.97

1）a　2）b　3）a

59

▶問題p.98

1）c　2）b　3）d　4）a

Check

▶問題p.99

1）ないこともない

2）もの

3）わけにはいかない

4）だけ

5）つもり

6）こそ

7）のみ

7 論説文(ろんせつぶん)を読む オオカミと生態系(せいたいけい)

60

▶問題p.106

1）b　2）a　3）a　4）b

61

▶問題p.105

1）c　2）a　3）d　4）b

62

▶問題p.107

1）c　2）a　3）d　4）b

63

▶問題p.108

1）a　2）b　3）a　4）a

65

▶問題p.109

1）a　2）b　3）a　4）b

Check

▶問題p.110

1）一方(いっぽう)

2）にしたがって

3）のみならず

4）ことから

5）から見ると

6）といった

67

▶問題p.113

1）a　2）b　3）a

68

▶問題p.113

1）b　2）a　3）a

70

▶問題p.115

1）理論上(りろんじょう)

2）職業上(しょくぎょうじょう)

3）事実上(じじつじょう)

4）教育上(きょういくじょう)

71

▶問題p.115

1）a　2）a　3）b　4）b

72

▶問題p.116

1）a　2）b　3）a　4）a

Check

▶問題p.117

1）に反(はん)して

2）上(じょう)

3）得(う)る

4）に関(かん)する

5）つつある

6）反面(はんめん)

7）に限(かぎ)らず

8 ビジネス場面の会話 取引先(とりひきさき)で

73

▶問題p.124

1） a　2） b　3） a　4） a

74

▶問題p.124

1） b　2） d　3） c　4） a

75

▶問題p.125

1） b　2） c　3） d　4） a

76

▶問題p.126

1） b　2） c　3） d　4） a

Check

▶問題p.127

①b　②b　③a　④b

⑤a　⑥a　⑦a　⑧a

9 友達同士(どうし)の会話 食べ放題(ほうだい)

79

▶問題p.132

1） b　2） a　3） a　4） a

81

▶問題p.134

1） a　2） b　3） a　4） b

82

▶問題p.135

1） a　2） b　3） c　4） a

83

▶問題p.136

1） a　2） b　3） a

Check

▶問題p.137

1） わけです
2） のなんのって
3） ようになっている
4） ったら
5） たて
6） ようじゃ
7） どころか

89

▶問題p.141

1） a　2） b　3） b　4） a

90

▶問題p.142

1） b　2） d　3） a　4） c

91

▶問題p.143

1） b　2） b　3） a　4） b

Check

▶問題p.144

1） ところだった
2） ましだ
3） ことだ
4） くらいなら
5） に限(かぎ)って
6） という
7） ぶって

10 エッセーを読む 満員電車(まんいん)

93

▶問題p.149

1）b　2）a　3）a　4）b

95

▶問題p.151

1）d　2）a　3）b　4）c

Check

▶問題p.152

1）ものがある
2）わりに
3）まい
4）につけ

97

▶問題p.154

1）b　2）a　3）b　4）a

99

▶問題p.156

1）a　2）b　3）a　4）a

Check

▶問題p.156

1）やら・やら
2）かと思ったら
3）げ
4）か・か

11 記事(きじ)を読む ラーメンの紹介(しょうかい)

101

▶問題p.162

1）b　2）a　3）a　4）b

102

▶問題p.162

1）a　2）b　3）a　4）b

103

▶問題p.164

1）a　2）b　3）c

105

▶問題p.165

1）a　2）c　3）b　4）a　5）b

106

▶問題p.167

1）a・a　2）b・b　3）a　4）b

Check

▶問題p.168

1）といっても
2）にしろ
3）だけに
4）上に
5）にほかならない
6）に限(かぎ)る
7）にすぎない

12 ビジネス場面の会話 ウォーキングシューズの開発(かいはつ)

107

▶問題p.173

1）A　2）A　3）B　4）A
5）A・B

108

▶問題p.174

1）a　2）b　3）a

109

▶問題p.175

1）a　2）b　3）a　4）a

110

▶問題p.176

1）c　2）b　3）d　4）a

111

▶問題p.177

1）b　2）d　3）a　4）c

Check

▶問題p.178

1）がち
2）にかけては
3）とか
4）ないことには
5）にそって
6）つつも

113

▶問題p.180

1）a　2）b　3）a　4）b

115

▶問題p.181

1）B　2）A　3）B

116

▶問題p.182

1）a　2）a　3）b　4）b

117

▶問題p.183

1）b　2）a　3）a　4）b

118

▶問題p.183

1）a　2）a　3）b

Check

▶問題p.184

1）上で
2）にこたえて
3）に先立(さきだ)って
4）としたら
5）次第(しだい)
6）一方(いっぽう)

13 ストーリーを読む 人生の転機(てんき)

119

▶問題p.189

1）b　2）a　3）a　4）a

120

▶問題p.190

1）b　2）c　3）d　4）a

121

▶問題p.191

1）a　2）b　3）b　4）a

122

▶問題p.192

1）a　2）b　3）b　4）a

124

▶問題p.193

1）b　2）b　3）c　4）a

Check

▶問題p.194

1）でならない

2）ものなら
3）末
4）ことにして
5）つもり
6）まいか

125

▶問題p.196

1）d　2）b　3）a　4）c

126

▶問題p.197

1）a　2）b　3）a　4）b

128

▶問題p.198

1）b　2）a　3）a　4）b

129

▶問題p.199

1）a　2）a　3）a　4）b

130

▶問題p.200

1）a・a　2）a・a　3）b・b　4）a

131

▶問題p.201

1）a　2）b　3）a　4）a

Check

▶問題p.201

1

1）もかまわず
2）を込めて
3）あまり
4）ぬく
5）がたい

2

1）a
2）b

14 社説を読む オリンピックの開催について

132

▶問題p.206

1）a　2）c　3）a　4）b　5）a

133

▶問題p.207

1）a　2）b　3）a　4）b

134

▶問題p.208

1）a　2）a　3）c

137

▶問題p.210

1）a　2）b　3）a　4）a

138

▶問題p.210

1）a　2）b　3）b　4）a　5）a
6）b

Check

▶問題p.212

1）に加えて
2）をめぐって
3）にあたって
4）に基づいて
5）としても
6）わけだ
7）てこそ
8）ものだ

まとめの問題
答え・スクリプト

1 お知らせを読む
スタッフ募集のお知らせ

▶問題 p.27

問題1

[1] **2**　[2] **3**　[3] **3**　[4] **4**
[5] **3**　[6] **3**

問題2

[1] **3**（1→4→**3**→2）
[2] **3**（2→1→**3**→4）
[3] **2**（4→3→**2**→1）
[4] **3**（4→1→**3**→2）

問題3

[1] **3**　[2] **3**　[3] **2**　[4] **1**
[5] **2**

問題4

[1] **3**　[2] **1**　03

留学生会館のお知らせを聞いています。

F：横田国際留学生会館からのお知らせです。来たる３月10日土曜日の午後２時から「留学生と英語で交流しよう」という会を開催いたします。15名ほどの各国の留学生と、レベルに応じてグループに分かれて交流します。年齢、職業を問わず、16歳以上の方ならどなたでもご参加いただけます。ただし、希望者が多い場合は、住民の方を優先しますので、それ以外の方は横田国際留学生会館に直接お問い合わせください。参加費はお茶代として500円。当日、留学生会館にお越しの際にお支払いください。定員は40名です。電話番号は…。

F：ねえ、このイベント、おもしろそうよ。
M：え？　ああ、留学生会館、いつも料理教室やっているところだね。へえ、英語かあ。
F：うん。いつも、英語で話すチャンスがないって言ってたじゃない。
M：そうだね。「レベルに応じて」だから、ぼくでも大丈夫かな？　じゃ、行ってみようか。
F：そうよ。行ってきたら？
M：え？　一緒に行かないの？
F：私、その日はちょっとね。
M：わかったよ。じゃ、がんばってくるよ。

[1] 何のお知らせですか。
[2] ２人はこのあと、どうしますか。

2 スピーチをする
転任のあいさつ

▶問題 p.46

問題1

[1] **1**　[2] **4**　[3] **3**　[4] **2**
[5] **2**　[6] **3**　[7] **1**　[8] **4**

問題2

[1] **2**（4→1→**2**→3）
[2] **1**（2→4→**1**→3）
[3] **1**（4→3→**1**→2）
[4] **1**（4→3→**1**→2）

問題3

[1] **2**　[2] **4**

問題4

1

[1] **3**　06

女の人が話しています。

F：私は老人ホームなど福祉の現場で10年間働いて、ご本人やご家族の方から様々な質問を受けてきましたが、その間ずっと、福祉について分かりやすく説明してあるものがあったらいいなあと思ってきました。それで今回、皆さんが疑問に思われることをまとめて、このガイドブックを作りました。この本をきっかけに、皆さんが福祉について考えてくださることを期待しております。

女の人は何について話していますか。

1　女の人が福祉の現場で働いてきたこと
2　女の人がご家族の方から質問されたこと
3　女の人が本を書いた理由
4　みんなの福祉に対する期待

2　**3**　07

女の人が話しています。

F：この会は主婦を中心に結成されたボランティア団体です。地域の環境を整えて、子どもたちもお年寄りも安心して暮らせる街づくりを目指しています。できるだけ多くの方に参加していただいて、協力して住みよい街づくりに貢献したいと思います。主婦でなくても、この活動に興味を持たれた方はぜひご参加ください。

女の人は何のために話していますか。

1　ボランティア団体を結成するため
2　地域の環境を整えるため
3　新しいメンバーを募集するため
4　ボランティア活動に参加するため

2

1　**1**　08

M：よう、元気そうだね。こうやって集まるの、大学卒業以来だね。
F：1　ほんとに懐かしいね。
　　2　大学卒業したっけ？
　　3　いつ集まるつもり？

2　**2**　09

F：何遊んでるのよ。ちょっと手伝ってくれない？
M：1　じゃ、一緒に遊ぼうよ。
　　2　別に遊んでるわけじゃないよ。
　　3　手伝ってくれないの？

3　説明を聞く　ホテルの仕事

▶問題p.59

問題1

1 **4**　2 **2**　3 **3**　4 **4**
5 **3**　6 **2**　7 **1**　8 **4**

問題2

1 **2**　（4→3→**2**→1）
2 **4**　（2→1→**4**→3）
3 **4**　（3→2→**4**→1）

問題3

1 **2**　2 **3**　3 **4**　4 **3**
5 **2**

問題4

1

3　11

女の人と男の人が話しています。男の人は今すぐ何をしますか。

F：課長、先ほど東京商事からお電話があって、納入した機械に問題があったそうなんです。
M：えっ!? 担当は後藤君だよね。今出張中だったっけ。
F：ええ、連絡は取れますが、すぐに対応できるかどうか…。
M：遅れると取り引きがだめになりかねないし、この件は私がなんとかせざるを得ないかな。
F：関係書類を持ってきましょうか。
M：そうだね。とりあえず私が先方に連絡を取って、場合によっては東京商事へ行くことにするよ。

男の人は今すぐ何をしますか。

2

1 **2** (12)

F：何なの、この映画。お金払って損した。
M：1　ほんと、見ざるを得ないよ。
　　2　そうだね、見るんじゃなかった。
　　3　うん。今度見ようよ。

2 **1** (13)

M：すみません、ちょっとインタビューに答えてもらえませんか。
F：1　ちょっと時間がないので。
　　2　答えかねませんよ。
　　3　はい、そうしますよ。

3 **3** (14)

M：おい、そんなにスピード出したら、事故を起こしかねないぞ。
F：1　スピード出して、事故起こしたんだって。
　　2　あそこで、事故があったみたい。
　　3　わかったよ。安全運転でいくよ。

4 ニュースを聞く 台風情報

▶問題p.69

問題1

1 **3**　2 **2**　3 **4**　4 **2**
5 **1**　6 **3**　7 **2**

問題2

1 **3** （4→1→**3**→2）
2 **2** （3→4→**2**→1）
3 **3** （1→4→**3**→2）

問題3

1 **2**　2 **3**　3 **4**　4 **1**

問題4

1

1 **2** (16)

男の人が話しています。東西線について、正しい情報はどれですか。

M：皆様、ご迷惑をおかけいたしまして、誠に申し訳ございません。ただ今東西線は信号故障のため、全線にわたって運転を見合わせております。安全が確認され次第、運転を再開いたしますので、しばらくお待ちください。

東西線について、正しい情報はどれですか。

2 **3** (17)

女の人が話しています。東北地方の日本海側の人は何に注意が必要だと言っていますか。

F：東北地方の日本海側には大雪警報が出ています。今夜から明日にかけて、強い風と雷をともなって大雪になるおそれがありますので、積雪とともに、落雷、強風にもご注意ください。

東北地方の日本海側の人は何に注意が必要だと言っていますか。

3 **2** (18)

女の人が話しています。このお知らせを聞いた人はどうしますか。

F：東名高速道路は18日日曜日の午前0時から月曜日の午前にかけて、工事のため、全面通行止めになります。安全第一で作業を進めますので、皆様のご理解とご協力をお願いいたします。

このお知らせを聞いた人はどうしますか。

2

2 (19)

F：先日、問い合わせた件ですが、その後どうなっていますか。
M：1　はい、問い合わせをしております。

2　ただ今調べておりますので、わかり次第ご連絡いたします。
3　はい、どういたしましょうか。

5 友達同士の会話 就職活動

▶問題 p.83

問題1

[1] **4**　[2] **3**　[3] **3**　[4] **1**
[5] **1**　[6] **4**　[7] **2**

問題2

[1] **1**（3→2→**1**→4）
[2] **3**（1→4→**3**→2）
[3] **3**（2→4→**3**→1）

問題3

[1] **1**　[2] **3**　[3] **2**　[4] **4**

問題4

1

3 22

女の人と男の人が話しています。女の人は何が一番問題だと思っていますか。

F：ねえ、この間、電子マネーの利用金額をチェックしたら、前より増えててびっくりしちゃった。
M：ぼくも…無駄遣いは気をつけなくちゃと思うものの、コンビニオリジナルの新商品とかあると、つい…。
F：うん、あまり考えないで買っちゃうよね。
M：便利だしね。財布から1円玉とか5円玉とか探さなくてもいいし。
F：そうだけど、知らないうちにお金を使っちゃうのってまずいよね。
M：うん。電子マネーだと、お金を直接財布から出さないからなあ。使った金額なんて、チェックしないしね。
F：そうそう。お金を使ったという感覚がないのが一番いけないんだよね。気をつけなきゃね。

女の人は何が一番問題だと思っていますか。

2

[1] **2** 23

F：お昼、一緒に食べに行かない？
M：1　え？ 行くところがないの？
2　ごめん、それどころじゃないんだ。
3　じゃ、ゆっくり食べてね。

[2] **3** 24

M：君、こんなレポートじゃ、直しようがないよ。
F：1　ええ、直しようがないでしょう。
2　じゃ、部長、直しましょうよ。
3　すみません。もう一度書いてきます。

6 友達同士の会話 苦労した5年間

▶問題 p.100

問題1

[1] **1**　[2] **3**　[3] **3**　[4] **4**
[5] **3**　[6] **4**

問題2

[1] **1**（3→2→**1**→4）
[2] **2**（3→1→**2**→4）
[3] **4**（3→2→**4**→1）

問題3

[1] **2**　[2] **4**

問題4

1

[1] **4** 27

専門家が話しています。メダカを飼う場合に、最も大切なことは何ですか。

F：皆さんこんにちは。今日はメダカを初めて飼う場合、どうしたらいいか、田中先生にお話を伺います。田中先生、よろしくお願いします。

M：メダカは川にいる魚ですから、自然に近い環境が必要です。といっても、難しく考えることはありません。小石や水草を入れてやれば、メダカはストレスなく生きていくことができるでしょう。メダカは強い魚なので、飼い方も難しくはありませんが、毎日きちんと面倒をみないと死んでしまいますから、それだけは絶対に忘れないでください。

メダカを飼う場合に、最も大切なことは何ですか。

2 **2** 28

女の人と店の店長が話しています。伊藤さんは昨日何をしましたか。

F：昨日はすみませんでした。アルバイト、休むわけにはいかないと思ったんですけど、熱が高くて、起きられなくて…。

M：まだ、顔色悪いね。店のほうは君の代わりに伊藤さんが来てくれたし、気にすることはないよ。

F：え？ 昨日は伊藤さん、用事があったはずなんですけど…。

M：そう言ってたけど、無理言って頼んだんだ。まぁ、今度代わってあげればいいんじゃない？

伊藤さんは昨日何をしましたか。

2

1 **2** 29

M：無理すれば、頂上まで行けないことはなかったけど…。

F：1　でも、行きましたね。

　2　やっぱりやめてよかったですね。

　3　そうですね。無理しましたね。

2 **2** 30

M：犯人についての情報を集められるだけ集めてくれ。

F：1　はい、集めるだけですね。

　2　はい、やってみます。

　3　はい、情報だけ集めます。

3 **3** 31

F：そんなに笑うことはないでしょう。

M：1　だって、悲しいんだもん。

　2　だって、おもしろくないんだもん。

　3　だって、変な格好してるんだもん。

7 論説文を読む オオカミと生態系

▶問題p.118

問題1

1 **2**　2 **1**　3 **3**　4 **1**
5 **1**　6 **3**　7 **3**　8 **1**
9 **2**

問題2

1 **4**　（3→1→**4**→2）
2 **3**　（4→1→**3**→2）
3 **2**　（4→3→**2**→1）
4 **4**　（2→1→**4**→3）
5 **1**　（3→4→**1**→2）

問題3

1 **1**　2 **3**　3 **2**　4 **4**
5 **2**　6 **1**

問題4

1

3 34

電器店の社長が社員と話しています。

F：社長、駅向こうのエース電気、また値下げセールやってますよ。うちも値下げセールやりましょうよ！

M：やりたくても、これ以上安くするのは経営上無理なんだよ。だから、その分、サービスで勝負したいんだ。今は修理サービスだけだし…。

F：ほかの店がやらないようなのじゃないとだめですよね。

M：うちは年配のお客様が多いだろ？ この点から見て、何か考えられないかな。

F：わかりました。みんなで考えてみます。

これから考えることは何ですか。

1 値下げセールについて
2 店の経営状態について
3 新しいサービスについて
4 修理サービスについて

2

1 **3** 2 **3** 35

講演会で、先生が勉強する時間について話しています。

F：最近は朝早起きして勉強する人も増えていますが、実際にはいつ勉強したら効果的なのでしょうか。本日は脳科学がご専門の本田先生にお話を伺います。

M：確かに朝は集中力が高くなりますね。しかし記憶の面からいうと、人間の脳は眠っている間にその日に経験したことを再生して、記憶を強化することがわかっているんです。特に再生しているのは寝る直前の時間帯の情報です。このことから、記憶する必要がある勉強は、夜寝る前にしたほうが効果的だと言えるでしょうね。ベッドに入って、目をつぶるだけでも脳内の情報整理には効果があるんですよ。

M：これ、寝る前に勉強したほうが、よく頭に入るということだよね。やっぱり、試験勉強は夜ってことだね。ぼくは間違ってなかったんだ。

F：でも、早起きして勉強したほうが、頭がすっきりしているし集中できていいんだけどな。

M：ぼくは今までどおり勉強するよ。でも君は無理に変えることはないんじゃない？

F：まあね。朝型生活は続けるとして、夜寝る前にもう一度復習しよう。そうすれば、もっと覚えられるということだよね。

M：中田さん、まじめだねえ。

1 この先生はいつ勉強したらよく覚えられると言っていますか。

2 女の人はどうすることにしましたか。

3

1 **2** 36

M：これ、宇宙人の写真だって。でもあり得ない話じゃないよね。

F：1 うん、私も宇宙人はいないと思う。
　 2 え？ 宇宙人がいると思っているの？
　 3 何言ってるの、それは宇宙人の話よ。

2 **1** 37

F：今朝の新聞には景気が回復しつつあるって書いてあったけど、どう思う？

M：1 ぼくもそう思うよ。うちの会社も注文が増えているしね。
　 2 ぼくもそう思うよ。うちの会社も注文が減っているしね。
　 3 ぼくもそう思うよ。仕事が全然増えないもん。

8 ビジネス場面の会話 取引先で

▶問題 p.128

問題1

1 **1** 2 **2** 3 **2** 4 **3**
5 **2** 6 **1** 7 **4**

問題2

1 **4** （2→1→**4**→3）

2 **4** （3→2→**4**→1）

3 **3** （1→4→**3**→2）

問題3

1 **2**　2 **1**　3 **2**　4 **4**

問題4

1

4 39

男の人と女の人が電話で話しています。

M：もしもし、高橋様のお宅でしょうか。
F：はい。
M：私、小林と申します。
F：ああ、小林さん。先日はわざわざお越しいただいて、ありがとうございました。
M：いえ。せっかくご招待いただきましたのに、とんだことをいたしまして、本当に申し訳ございませんでした。
F：いいえ、どうぞお気になさらず…。
M：いえ、あのー、たいへん失礼ですが、あの花瓶と同じ物があれば買い求めてお返しさせていただきたいと存じますので、ぜひお店を教えていただきたいと思いまして…。

男の人が電話で一番したかったことは何ですか。

1　先日招待してもらったお礼を言うこと
2　花瓶を割ったことを伝えること
3　買った花瓶を返すこと
4　花瓶を買った店を聞くこと

2

1 **1** 40

M：では、明日3時に当社へお越しください。
F：1　はい、明日3時にお伺いいたします。
　　2　はい、明日3時にいらっしゃいます。
　　3　はい、明日3時にお待ちしています。

2 **3** 41

F：部長、トニー株式会社の山本様が受付にお見えです。
M：1　トニー株式会社の部長は山本さんじゃないよ。
　　2　あ、そう。受付に見えるよ。
　　3　あ、そう。じゃ、すぐ行くよ。

9 友達同士の会話 食べ放題

▶問題p.145

問題1

1 **2**　2 **3**　3 **4**　4 **2**

5 **2**　6 **3**　7 **1**

問題2

1 **3** （4→1→**3**→2）

2 **4** （2→1→**4**→3）

3 **3** （4→1→**3**→2）

4 **2** （3→1→**2**→4）

5 **1** （2→4→**1**→3）

問題3

1 **1**　2 **2**　3 **4**　4 **1**

問題4

1

4 44

男の人と女の人が話しています。男の人はどうしてポイントがつけられませんでしたか。

M：去年旅行に行ったとき、マイレージカード忘れちゃって。けっこうポイントつくはずだったのに…。
F：帰国してからでもポイントつけられるようになっているでしょ？
M：うん。それ知らなくて、教えてもらってやろうと思ったんだけど…。
F：わかった。搭乗券捨てちゃったんでしょ。
M：ううん。記念に取ってあったし…。でも教えてもらったのがついこの間で、期限切れちゃってたんだ。
F：そうなんだ。残念だったね。この次はカード忘れないことね。

男の人はどうしてポイントがつけられませんでしたか。

2

1 **3** (45)

F：焼きたてのケーキがあるのよ。食べていかない？
M：1　ええ、食べていきません。
2　え？　今からケーキ焼くんですか。
3　え？　いいんですか。

2 **2** (46)

M：今朝、電車に荷物忘れるところだったよ。
F：1　え？　何を忘れたんですか。
2　え？　気がついてよかったですね。
3　え？　じゃ、駅に連絡しましょうか。

3 **1** (47)

M：こんな簡単な書類が書けないようでは仕事にならないよ。
F：1　はい、すみません。
2　はい、仕事ですから。
3　はい、書けないようです。

10 エッセーを読む 満員電車

▶問題p.157

問題1

1 **1**　2 **3**　3 **2**　4 **4**

問題2

1 **3**　(4→1→**3**→2)
2 **3**　(2→4→**3**→1)
3 **4**　(2→3→**4**→1)

問題3

1 **4**　2 **1**　3 **2**　4 **3**

問題4

1

3 (50)

動物園で男の人が話しています。男の人は、この鳥が動かないのは何に関係があると言っていますか。

M：えー、こちらにいるのは、動かない鳥として有名なハシビロコウです。ご覧のように、体のわりに頭が大きく、くちばしが広いのが特徴です。この鳥が動かないのは、食事のし方に理由があります。アフリカの湖に住むハシビロコウは、草の陰で静かに待ち続け、魚が水面に上がってきたときにこの大きいくちばしでおそいかかるんです。動物園にいるのは比較的動くと言われていますが、今日も先ほどえさの時間に少し動いたきり、30分以上このままです。あっ、そちらのお子さん気をつけてください。子どもをおどろかそうとして、突然近寄ってくることがありますから…。

この鳥が動かないのは何に関係があると言っていますか。

2

1 **1** (51)

M：あーあ、さっき皿を割ったかと思ったら、またやっちゃったよ。
F：1　今度は何やったんですか。
2　それはよかったですね。
3　じゃ、やっちゃいましょう。

2 **2** (52)

F：昨日はテスト全部書けたって得意げな顔してたのに、どうしたの？
M：1　うん、得意じゃないんだよ。

2　それが、全然だめだったんだよ。
3　うん、いい結果だったよ。

3　**3**　53

M：昨日駅前のカラオケに行ったんだけど、あそこにはもう二度と行くまいと思ったよ。
F：1　え？　また、行くの？
2　え？　二度と行かなかったの？
3　え？　何かあったの？

11 記事を読む ラーメンの紹介

▶問題 p.169

問題 1

1　**4**　　2　**2**　　3　**3**　　4　**4**
5　**2**　　6　**1**

問題 2

1　**3**（2→1→**3**→4）
2　**4**（3→2→**4**→1）
3　**3**（2→1→**3**→4）
4　**4**（2→3→**4**→1）

問題 3　3

問題 4

1　**4**　55

女子学生が大学の入学試験の面接について先生に相談しています。女子学生が一番心配なのは何ですか。

M：明日の面接、大丈夫だよね。
F：先生、自信がないです。本番は全部忘れてしまいそうで。それに人気校だけに、競争率も高いし。
M：そうだね。でも、競争率が高いといっても、あなたは入れるだけの実力があるじゃない。
F：先生、もし練習と違う質問をされたら、どうしたらいいですか。それが一番心配で…。
M：失敗を恐れず、堂々とあなたの考えを言いなさい。自信がなさそうなのは一番いけないよ。
F：はい、わかりました。今から気持ちを切り替えます。

女子学生が一番心配なのは何ですか。

2　**2**　56

両親が子どもの将来について話しています。お父さんはどう思っていますか。

F：隆、プロ野球選手になりたいんだって。
M：いいじゃないか。何か問題でもあるのか。
F：だって。あなただって、プロ野球選手になれなかったじゃない。
M：けがしたからなあ。
F：私はあなたみたいに学校の先生になってほしいのよ。
M：確かにおれも高校の教師になってよかったと思うよ。
F：そうだよね。その上、野球部の監督もやっているし…。いい人生じゃない。
M：隆にもすすめたい気がするけど、隆はまだ高校２年だろ。野球選手にしろ、教師にしろ、自分の人生だ。まあ、今から夢を捨てることはないと思うよ。

お父さんは隆君の将来についてどう思っていますか。

12 ビジネス場面の会話 ウォーキングシューズの開発

▶問題 p.185

問題 1

1　**1**　　2　**4**　　3　**2**　　4　**1**
5　**4**　　6　**3**　　7　**2**　　8　**3**

問題 2

1　**2**（3→1→**2**→4）
2　**3**（2→4→**3**→1）

3 **2** （1→4→**2**→3）

問題3

1 **3**　2 **4**　3 **1**　4 **3**

問題4

1

1 **4**　2 **3**　59

大学で先生が学生に話しています。

M1：最近では、日本はもとより、ヨーロッパやアメリカなどでも魚はよく食べられるようになりました。しかし、残念ながら、それはマグロ、サケなどの決まった魚になりがちです。日本では昔から大きい魚、小さい魚、いろいろな魚を食べてきましたが、海の生き物の生態系を壊さないためには必要なことなのです。様々な種類の魚をバランスよく食べるほうが自然に優しいと言えるのです。ですから、皆さんにそれをお願いしたいと思います。

F：どうしてバランスよく食べると自然に優しいの？

M2：マグロがどんどん減っているっていうのは知ってるよね。

F：うん。高くなったよね。それに、もうすぐ食べられなくなっちゃうんじゃないかって言われてるよね。

M2：そうそう。それでマグロのえさになる小さい魚が増えすぎて、海の生き物のバランスがくずれてるっていうことなんだよ。

F：だから、海の中のバランスを取るためにも小さい魚も食べましょうっていうことね。

1 この先生が一番言いたいことは何ですか。

2 どうして小さい魚も食べたほうがいいのですか。

2

4 60

社長がインタビューを受けています。

F：本日はユニークな経営方針で知られる藤川社長にお話を伺います。藤川工業は、金属加工の技術にかけては世界トップレベルだと伺っておりますが…。

M：ありがとうございます。そういう評価をいただけるのは社員の技術のおかげです。物を作る仕事は誰でも簡単にできると思われがちですが、その技術こそが会社の財産なので、わが社では年齢、経験、国籍を問わず、高い技術を持った社員を高く評価してきたんです。

F：具体的には？

M：能力次第では役員並みの給料がもらえるということです。実際にそういう社員がいるんですよ。評価されることで、皆が自分の技術に自信を持つようになり、どこに出しても恥ずかしくないものが作れるようになったんです。

藤川社長が一番言いたいことは何ですか。

1 技術が世界トップレベルなこと
2 物作りは簡単だと思われがちなこと
3 様々な社員を採用していること
4 能力評価が発展につながったこと

3

1 **3** 61

M：いい選手になれるかどうかは君の努力次第だよ。

F：1 はい、いい選手になりました。
　2 はい、君の努力です。
　3 はい、がんばります。

2 **1** 62

M：日程が決まらないことには切符が取れないよ。

F：1 じゃ、決まったら連絡するよ。

2　じゃ、決めないね。
3　じゃ、切符取ってね。

13 ストーリーを読む 人生の転機

▶問題 p.202

問題1

1 **3**　2 **1**　3 **3**　4 **3**
5 **2**　6 **3**　7 **4**　8 **1**

問題2

1 **2**（4→1→**2**→3）
2 **1**（3→2→**1**→4）
3 **1**（2→4→**1**→3）

問題3

1 **2**　2 **3**　3 **4**　4 **1**

問題4

1

1 65

映画監督がテレビで話しています。

F：監督、今度の映画は、どんな感じなんですか。
M：人生をあきらめないでって言いたいんです。たとえどんなに辛いことがあっても、がんばればいいこともあるんだって伝えられればと思うんです。
F：そうですか。
M：前半は主人公に同情しつつ見ていただいて、後半からはミステリーもあれば、アクション場面も出てくるようなスピード感のある展開をお楽しみいただけると思います。
F：そうですか。公開が楽しみですね。ありがとうございました。

監督が観客に伝えたいメッセージは何だと言っていますか。

1　人生をあきらめないこと
2　主人公がつらい人生を送っていること
3　ミステリーの犯人さがしを楽しむこと
4　アクションにスピード感があること

2

1 **2** 66

F：今の話、聞かなかったことにして。
M：1　はい、ちゃんと聞きました。
　　2　じゃ、誰にも言わないよ。
　　3　え？ 知らなかったんですか。

2 **3** 67

F：これでちゃんとやったつもりなの？
M：1　ありがとうございます。
　　2　けっこうです。
　　3　すみません。

14 社説を読む オリンピックの開催について

▶問題 p.213

問題1

1 **4**　2 **2**　3 **1**　4 **2**
5 **3**

問題2

1 **3**（2→4→**3**→1）
2 **1**（2→4→**1**→3）
3 **4**（2→1→**4**→3）

問題3

1 **2**　2 **3**　3 **4**　4 **1**

問題4　**4**

79033-B-2310